D1250940

PIERRE HERMÉ
Pâtissier
SECRETS GOURMANDS

PIERRE HERMÉ

Pâtissier

SECRETS GOURMANDS

TEXTE

MARIANNE COMOLLI & PIERRE HERMÉ

PHOTOGRAPHIES

JEAN-LOUIS BLOCH-LAINÉ

DIRECTION ARTISTIQUE, DESIGN & RÉALISATION

'YAN. D. PENNOR'S

LAROUSSE

17 RUE DU MONTPARNASSE 75298 PARIS CEDEX 06

© PIERRE HERMÉ,
MARIANNE COMOLLI, JEAN-LOUIS BLOCH-LAINÉ ET 'YAN D. PENNOR'S.

TOUS DROITS DE TRADUCTION ET DE REPRODUCTION
SOUS QUELQUE FORME QUE CE SOIT RÉSERVÉS POUR TOUS PAYS.

DISTRIBUTEUR EXCLUSIF AU CANADA : LES ÉDITIONS FRANÇAISES INC.

ISBN 2-03-507011-2

Pierre Hermé est entré chez Fauchon en 1986, l'année même où je devenais présidente de cette entreprise, qui a aujourd'hui 110 ans, acquise par mon grand-père en 1953.

La modeste maison d'autrefois est devenue grande. Aujourd'hui, Fauchon ouvre ses portes à un public de plus en plus large, de plus en plus jeune, de plus en plus curieux de goûter à nos produits – nous avons 4 500 références –, à la cuisine de nos trois restaurants – "le 30", "la Cafétéria", "la Brasserie" – et à la pâtisserie de Pierre Hermé.

Le succès de la pâtisserie me comble et me tient à cœur. Il ne se passe pas un jour sans que je scrute les vitrines et que je déguste un gâteau, un entremets, un dessert, une friandise, ou que j'essaie une nouvelle recette, car, malgré l'immense éventail des douceurs proposées chez Fauchon, j'ai demandé à Pierre Hermé de réaliser une collection de gâteaux pour chaque saison. Je dois dire aussi que la créativité de Pierre Hermé est débordante et qu'au sein de la maison Fauchon elle peut s'exprimer tout à loisir. Sa dernière création, la "Cerise sur le gâteau", m'a enthousiasmée, autant par sa présentation originale que par sa saveur irrésistible. Je gage qu'elle remportera un succès international, puisque Fauchon a désormais une image mondiale et qu'on peut déguster dans 53 magasins Fauchon au Japon avec juste un peu de sucre en plus, les gâteaux de la place de la Madeleine.

Je suis heureuse de pouvoir dire aujourd'hui que la pâtisserie Fauchon est l'histoire d'une rencontre entre un grand pâtissier et une grande maison.

Martine Prémat

Les auteurs expriment leur gratitude à Josée Lalouelle pour avoir si
bien dirigé la réalisation technique de ce livre, à Charles Znaty dont
la tâche consista à concevoir tous ses aspects commerciaux,
à Éric Marazin dont l'aide nous fut précieuse et qui voit la vie
avec les mêmes couleurs que nous, au pavillon Christofle
qui discrètement nous tendit "la" petite cuillère dont
nous avions besoin, et tout particulièrement
à Madame Martine Prémat, présidente de Fauchon,
ainsi qu'à tous ses collaborateurs qui exaucèrent
avec le sourire nos moindres désirs.
Merci encore à Denis Carré et à son équipe
pour la difficile mise au point de la "Cerise
sur le gâteau", à Christophe Auger,
responsable de l'atelier Artyg
qui composa si joliment les textes,
à Monsieur Richard Engrand,
marbrier, qui nous ouvrit toutes
grandes les portes de ses trésors
minéraux, ainsi qu'à Nicolas
Bertherat qui assista si
sérieusement ces douze
mois de prises
de vues.

Merci
enfin à
Adèle qui
a bien vu qu'on
la photographiait
(et qui n'a rien dit),
à Yannick Lefort et
Rose Bouaziz pour leur
aide, à Anne Roche-Noël
qui relut méticuleusement
tous les textes, et pour finir, aux
éditions Larousse qui souhaitèrent
que cet ouvrage existât simplement
parce qu'elles le trouvaient beau.
Les trois typographies utilisées ici,
Gill Shadow, Joanna italique et Perpetua
romain et italique, ont été dessinées par
Éric Gill, graveur sur pierre, pendant les
années vingt. Humblement merci pour ces
chefs-d'œuvre.

'Yan D. Pennor's.

Je dédie ce livre à mes parents, Suzanne et Georges,
qui ont su me transmettre leur passion, et à Frédérick qui la partage.

Un pâtissier à la prestance de ténor qui rêve d'une
réincarnation en tarte aux quetsches, très réservé, très alsacien, tel est Pierre Hermé
qui, avec ses douceurs, nous fait retrouver le goût de l'enfance.
Car Pierre Hermé nous aime, il est irrésistible.

Frédérick E. Grasser
Présidente du club du gras, des bonnes choses
et des bonnes manières.

L est six heures. Paris dort encore. La place de la Madeleine résonne de rares, très rapides voitures. Quelques passants se hâtent. L'air frissonne d'effluves suaves de viennoiseries, qui titillent le nez, excitent les papilles, réveillent l'appétit. L'odeur gourmande s'amplifie. Elle oriente les pas vers un point précis : à l'angle de la rue de Sèze et de la rue Vignon, une petite porte laquée de noir qu'il suffit de pousser pour pénétrer dans une vaste boutique aux vitrines vides, envahie par l'odeur de plus en plus vive. D'où vient-elle ? Au centre, une petite porte laquée de blanc qu'il suffit de pousser pour découvrir un escalier en colimaçon dans lequel s'engouffre l'odeur irrésistible, échappée d'une ruche de carrelage et d'acier où s'affairent trente-cinq pâtissiers venus dès l'aube parfaire l'ouvrage entrepris la veille. Après avoir découpé, fourré, roulé, plié, moulé, garni, rangé sur plaques puis entreposé au froid pour qu'ils y accomplissent leur levée : croissants nature et aux amandes, buns, brioches, pains aux raisins, à la cannelle et au chocolat, chaussons aux pommes et chaussons napolitains, petits kugelhopfs, nids d'abeille, kouing-aman et palmiers, ils les ont dorés d'une laque de jaune d'œuf propulsée par un aérosol géant puis les ont mis au four.

Pierre Hermé sillonne le laboratoire, sourire aux lèvres et yeux fureteurs dans un visage grave. Il tient un bloc-notes et un stylo dans sa main droite, tandis que de sa main gauche il tâte, soupèse et palpe les premières douceurs sorties du four. Il a encore une fois changé la composition, le temps de repos et le travail de la pâte à croissants, la plus difficile à maîtriser du fait de sa double nature feuilletée et levée. Il s'agit de déguster pour juger du résultat. Uniformément dorés, courbes bien marquées, forme dodue finement nervurée : l'œil fait bien augurer du goût. Pierre Hermé rompt un croissant tout chaud : la mie s'étire, blonde et lascive, délicatement feuilletée, ponctuée de longues bulles. En bouche, elle fond, feuille après feuille, déployant un éventail de saveurs briochées, légèrement sucrées, finement salées, agréablement équilibrées. « C'est bien, constate le chef, mais il ne faudra pas s'arrêter là ! »

Dans les métiers de bouche, on considère la pâtisserie comme une science exacte : il est vrai qu'il est indispensable de respecter les proportions et de bien reproduire les tours-de-main pour réussir. Mais la pâtisserie est aussi alchimie, soumise aux aléas de produits de base, vivants et changeants, qu'il faut sans cesse observer, confronter entre eux, remettre en jeu. Vingt ans après son entrée en apprentissage chez Gaston Lenôtre, Pierre Hermé se souvient de la leçon du maître. Chaque jour, depuis huit ans qu'il est chez Fauchon, il réalise plus de 150 recettes parmi les 900 que compte son répertoire, composé de grands classiques et de recettes originales créées au rythme de douze à quinze par an, qu'il réadapte, réajuste et réinvente sans cesse, cherchant la perfection dans l'équilibre des saveurs, la juxtaposition des textures, l'harmonie des parfums, la concordance de la forme et du goût.

Dans le département du laboratoire réservé aux entremets, tartes et petits-fours frais, après la première fournée de viennoiseries – il y en a quatre dans la journée –, on prépare les bases des gâteaux du jour. On fonce de pâte brisée ou sucrée de grands moules à tartes et de minuscules moules à tartelettes. On garnit de pâte feuilletée, que l'on pique et que l'on poudre de sucre pour la confection des millefeuilles, de grandes plaques revêtues de papier siliconé. On dresse sur les mêmes plaques, à la poche à douille cannelée, des petites boules, des bâtonnets et des couronnes de pâte à choux que l'on parsème ou non de sucre broyé et d'amandes hachées, qui deviendront saint-honoré, paris-brest, grands et petits éclairs, gourmandises, choux à la chantilly...

L'odeur de viennoiserie s'estompe, submergée par les effluves du caramel et de la nougatine, de la crème anglaise parfumée à la capiteuse vanille de Tahiti et du chocolat chaud... et par les odeurs puissamment fruitées émanant des candissoires où bouillonnent des framboises mêlées de sucre, des quartiers de citron enrobés d'un épais sirop, des zestes de pamplemousse immergés dans une décoction d'épices.

Pierre Hermé scrute, observe, goûte les pâtes crues, les fruits brûlants, le chocolat fondu, les crèmes frémissantes. Il met au passage la main à la pâte ; reprend le geste hésitant d'un stagiaire : il aime transmettre son savoir. À trente-trois ans, il a déjà formé de nombreux disciples.

Le téléphone sonne. Pierre Hermé se rend dans sa petite cage de verre à l'entrée du laboratoire, nichée au creux de l'escalier. Il recevra aujourd'hui les premières fraises "mara des bois", les derniers citrons de Menton, quelques cédrats de Corse, des ananas "Victoria" ; le fournisseur de crème fraîche d'Alsace trouvé après des années de recherches et d'essais viendra lui rendre visite ; un journaliste italien voudrait l'interviewer et photographier la "Cerise sur le gâteau" ; pour la réception de ce soir, il faudra prévoir non pas deux mille mais trois mille petits-fours... Il note tout sur son calepin, colle des pense-bêtes ici et là, retourne au laboratoire.

« À propos, demande-t-il à son second, nous risquons de manquer de Jivara, de Caraïbe et de sucre muscovado... Voulez-vous vérifier que les commandes sont parties. »

« C'est fait, chef ! »

Vers 9 h 30, c'est l'arrivée des fruits : des dizaines de cagettes sont livrées au département des fours frais, où les plus jeunes de l'équipe nettoient, équeutent, égrappent et rangent un à un sur de grands plateaux les fraises, fraises des bois, framboises, mûres, groseilles, myrtilles, cassis, cerises dont ils garniront les petits-fours. Une corbeille de fruits exotiques, un bouquet de roses "Sonia" et une botte de menthe sont déposés sur le plan de travail du département des entremets. Quand toutes les pâtes seront cuites et qu'à leur tour auront été dressés meringues, dacquoises, succès, biscuits joconde et biscuits à la cuillère, génoises et pains de Gênes, Pierre Hermé décorera, avec un plaisir non dissimulé, juvénile et communicatif, ses créations les plus récentes – "Paradis", "Fleur de fraises des bois", "Corail", "Rive gauche", macaronade aux fraises et à l'ananas – sous l'œil de son adjoint qui prendra note. Après quoi, il confectionnera des copeaux de chocolat noir en forme d'éventails pour décorer le dôme de mousse guanaja et des copeaux de chocolat au lait en forme de long ruban froissé pour entourer les papillotes pralinées aux noisettes caramélisées : exercice ludique et didactique, qui se déroule sous les regards des stagiaires.

Quand les petits-fours frais garnis, décorés, déposés dans leur brune caissette plissée ont regagné la pâtisserie ou la salle des commandes, vient le temps des macarons. En quelques minutes, la pâte est préparée dans des culs-de-poule géants : poudre d'amande et sucre mêlés

jetés en pluie dans les blancs en neige sont vivement mélangés, d'une main gantée jusqu'au coude tenant une corne pour mieux soulever la pâte de bas en haut puis, lorsqu'elle est homogène, la faire glisser dans l'immense poche munie d'une douille lisse qui dépose, d'un geste sûr et rapide 45 à 80 disques de pâte de quelques grammes sur les plaques ; au fur et à mesure, celles-ci sont glissées sur des échelles qui les transporteront vers le grand four ventilé. Sitôt sorties du four et refroidies, petites et grosses coques lisses, brillantes et bombées, roses, vertes, jaunes, ivoire, framboise, marron, café, blanches, beiges, sont garnies de crèmes, ganaches, mousses assorties à leur couleur : vanille, framboise, chocolat, café, praliné, pistache, coco, citron, rose... Ces parfums mis au point au fil des ans, peaufinés au fil des jours, dont la force subtile s'allie à l'onctuosité de la garniture lovée entre deux crousti, moelleuses coques soufflées fondant sous le palais avant même qu'on n'ait eu le temps de les mâcher, font de ces macarons d'irrésistibles objets de gourmandise, auxquels il est impossible de ne pas succomber. Très gourmand, Pierre Hermé travaille sans relâche à parfaire la texture d'un petit-four, d'un entremets, d'un gâteau, d'une friandise, essayant de rendre plus croustillant encore le croustillant, plus onctueux l'onctueux, plus fondant le fondant, jouant sur le contraste : c'est l'opposition des textures qui procure le plaisir de mordre dans une douceur, et non la ressemblance, génératrice d'ennui. L'exercice auquel il aime le mieux s'adonner est de combiner dans une même recette plusieurs textures très différentes, et il y réussit magistralement.

La tarte au chocolat, telle qu'elle était en vogue à Paris, dans les années 1980, se composait d'une pâte sucrée garnie d'une ganache riche en beurre qui lui assurait une très grande onctuosité. Malgré sa passion pour les tartes égale à celle qu'il nourrit pour le chocolat noir, Pierre Hermé ne se résolvait pas à proposer une telle recette. Après maints essais, maintes dégustations infructueuses, il décida que la structure de ce dessert, qui reposait sur l'opposition de deux seules sensations – l'une croquante, trop légère et fugitive, l'autre onctueuse, trop lourde et persistante –, était bien pauvre... Il ne restait qu'à ajouter à ces deux préparations un biscuit au chocolat sans farine qui, posé sur un fond de pâte sucrée puis nappé de ganache enrichissait la tarte d'une troisième texture moelleuse. À peine perceptible en bouche mais se laissant mâcher, le biscuit évitait l'écœurement rapide dû à la seule ganache coulée sur la pâte. Pour couronner le tout, il posa sur la tarte un disque arachnéen, mais oh combien croustillant, de nougatine au grué de cacao (issu de la fève torréfiée concassée), qu'il fut le premier à utiliser. Le charme a opéré, et l'œuvre est si parfaite qu'il est difficile d'imaginer qu'elle puisse être, un jour, perfectionnée. Encore que, récemment, il ait remplacé une partie de la crème composant la ganache par de la purée de framboise et garni la tarte de framboises fraîches alternées d'éclats de nougatine au grué de cacao, et que ce soit un enchantement.

Vers onze heures, on garnit de crème gros et petits éclairs au café et au chocolat avant de les habiller d'un glaçage brillant. On fourre les petits choux de crème pâtissière avant de les caraméliser et de les sertir sur la couronne des saint-honoré qu'on remplit de chantilly. Généreuse, la crème pralinée doit largement déborder l'anneau du paris-brest : pour éviter qu'elle n'envahisse le palais, Pierre Hermé a imaginé qu'on la mâche, grâce à un anneau plus petit de pâte à choux

14

à la croûte tendre et à la mie sauvage tout alvéolée, qui la traverse comme un tunnel. On immerge dans un sirop de rhum et d'épices additionné de pulpe d'ananas – qui, sans se laisser deviner, renforce le goût du rhum – petits et gros babas cuits la veille, bien secs, pour qu'ils s'en imbibent mieux. On garnit les millefeuilles de crème pâtissière odorante et veloutée avant de les découper sur la guitare avec un immense couteau-scie puis de les voiler de sucre glace. On monte et on décore les entremets dont les vedettes sont au chocolat noir : "Marigny", composé d'un macaron au chocolat guanaja fourré de chantilly au chocolat et d'un biscuit au chocolat nappé de sabayon ; "Manjari", apportant au chocolat du même nom le parfum des fleurs de lavande ; "Riviéra", associant à un biscuit au chocolat une crème au citron et des citrons confits ; "Rive gauche", exquis duo chocolat-mûre, interprété par une mousse au thé à la mûre, un biscuit au chocolat et une crème brûlée à la mûre... Il est temps de garnir les fonds des tartes cuits à blanc, afin qu'elles soient mises en vitrine encore tièdes, de se lancer dans la confection des madeleines et d'entamer la préparation des gros gâteaux – cakes aux fruits confits, au citron ou au chocolat – et kugelhopfs, gâteaux fétiches d'une enfance à Colmar : Pierre Hermé a gardé la recette de son père Georges, boulanger-pâtissier, mais il a décidé de les présenter à sa façon, en les plongeant dans un sirop parfumé aux amandes et à la fleur d'oranger avant de les poudrer de sucre semoule qui les emprisonne dans une carapace croustillante.

À 14 heures, le laboratoire retrouve son calme et sa brillance, briqué, lavé, astiqué, rangé : une deuxième équipe peut se mettre au travail pour assurer la mise en place du lendemain et préparer les gâteaux en commande – anniversaires, fiançailles, mariages – dont Pierre Hermé a imaginé le décor. À l'occasion, c'est lui qui tire et souffle le sucre et réalise la calligraphie.

Depuis un an, un espace est réservé à la "Cerise sur le gâteau", sa plus récente création, dont le moulage puis le montage et le démoulage requièrent, jusqu'en fin de journée, la présence de deux pâtissiers. Le gâteau-événement, tout en chocolat au lait, dessiné par 'Yan Pennor's, dont la coque lisse évoquant une gargantuesque part de gâteau recèle la symphonie des textures chères à Pierre Hermé – croquante, croustillante, moelleuse et fondante –, représentée par une dacquoise aux noisettes, un praliné feuilleté, une ganache, une chantilly et de très fines feuilles de chocolat – est un travail de patience et de précision. « Le goût et la texture de ce gâteau se sont imposés à moi après une dégustation de Jivara, un chocolat au lait d'une extrême finesse, avec des notes de caramel et de vanille. La recette n'a pas été difficile à mettre au point ; la forme oui, parce que je voulais qu'elle soit simple mais spectaculaire, et qu'elle fasse rêver. » Au rêve de la forme, 'Yan Pennor's a ajouté la magie de l'écrin : un carton couleur chocolat qui s'ouvre en tirant sur le nœud de satin qui le maintient.

Ce fabuleux gâteau est devenu le symbole de l'art de Pierre Hermé, qui évolue irrésistiblement vers une rigueur essentielle dans les recettes, une esthétique contemporaine dans la présentation, une remarquable justesse dans l'harmonie gustative... Un art vivant, qui ne renie pas ses sources mais s'élabore jour après jour, embellissant l'univers gourmand.

Marianne Comolli

LE SUCRE

DES quatre saveurs hédoniques du goût, le sucré est la seule pour laquelle nous manifestons une attirance innée, dès les premiers instants de la vie. Le sucré se perçoit au bout de la langue, le salé vient ensuite, puis l'acide et enfin l'amer ; or pour parvenir à aimer ces trois dernières saveurs, un apprentissage est nécessaire. Le sucré reste ainsi la saveur de l'enfance, qui, toute la vie, console d'avoir grandi. Car le sucre n'est pas un aliment, mais simplement une nourriture, le saccharose $C12\,H22\,O11$, composé d'une molécule de glucose et d'une molécule de fructose. Au-delà de la simple énergie qu'il apporte, le sucre est une source infinie de plaisirs doux, des plus bruts aux plus raffinés comme le sucre lui-même, qu'il soit de canne ou de betterave, cristal, blanc, roux, brun, léger voile, ou fine semoule, en morceaux, en grains, en cristaux de candi, en pains... tel qu'en lui-même, transformé par la cuisson ou allié à des ingrédients de gourmandise les plus divers et les plus fous pour devenir sucre d'orge, bonbon, sirop, glace, entremets, gâteau, confiserie, confiture : délices simples ou richement ouvragés, tendres, croquants, fondants, croustillants, onctueux, délicats, épicés, transparents, colorés, poudrés, empesés, aériens, satinés, coulants, caramélisés...

Au commencement était le miel, qui subvenait à lui seul aux désirs sucrés et donna naissance à la pâtisserie : dans la Rome antique, un gâteau de fromage de brebis enrichi de miel, de farine et d'œufs, poudré de graines de pavot et cuit au four, le "Savillum" faisait fureur...

Il fallut attendre le IIIe siècle avant Jésus-Christ pour que des marchands indiens et perses commencent à importer du sucre sur les rivages de la Méditerranée, tandis que Néarque, amiral d'Alexandre le Grand, parti explorer la mer des Indes, décrit dans ses récits de voyage un "roseau donnant du miel sans le secours des abeilles".

Au Ier siècle avant Jésus-Christ, Pline l'Ancien, dans son Histoire Naturelle évoque "un miel recueilli sur des roseaux, blanc comme la gomme, cassant sous la dent, les plus gros morceaux étant comme une aveline"... Ce texte indique bien que le sucre est alors produit sous forme solide, ce qui facilite son transport par caravane à travers l'Asie Mineure, jusqu'aux portes de la Méditerranée, d'où il gagne la Grèce puis l'Empire romain... L'épopée du sucre fut longue : c'est au XIIe siècle seulement que la "nouvelle épice" sera vendue en France, sous des formes très variées : pains, cassons (pains informes), cracs (sucre réduit en poudre). La Révolution de 1789, avec les conflits internationaux qu'elle engendre et qui paralysent le commerce du sucre, fut un véritable stimulant pour la production du sucre de betterave, encouragée par Napoléon. Les fortunes diverses qu'elle connut n'entravèrent pas son essor.

L'histoire du sucre a engendré des industries, un art de vivre et de se nourrir, une nouvelle gourmandise avec ses artisans, pâtissiers, confiseurs, glaciers, chocolatiers, et ses artistes toujours en quête de nouvelles recettes douces. Pierre Hermé est de ceux-là : il utilise 500 kilos de sucre par semaine, dont 300 à 350 kilos de sucre semoule ; 150 kilos de sucre glace ; le reste étant de la vergeoise pour les biscuits ; de la cassonade pour les crèmes brûlées et du sucre "muscovado", un sucre de canne non raffiné de l'Île Maurice, au puissant goût de réglisse, de vanille et de caramel, parfait pour les tartes aux abricots, les desserts à l'assiette et certains biscuits et du sucre "Tour Étoile", un sucre candi très raffiné, à gros cristaux translucides et brillants, irremplaçable pour le confisage des fruits déguisés.

Sans le sucre, ses formes diverses et ses métamorphoses, point de pâtisserie ni de confiserie. Le sucre est un exhausteur de goût qui renforce les arômes ; un agent de fermentation qui favorise la formation de gaz carbonique dans les pâtes et les fait lever sous l'action de la chaleur ; un agent de texture qui donne de la consistance aux

gâteaux, modifie leur aspect et leur mie, raffermit les meringues, veloute les crèmes, assouplit les glaces ; il est un agent croustillant qui rend croquantes les tuiles et les gaufres, les tulipes et les langues de chat ; il est enfin élément de décor : sucre glace dont on poudre les choux, les millefeuilles et les kugelhopfs, sucre cristal qui habille les pâtes de fruits, sucre-grain semé sur les chouquettes et les gourmandises, glaçage royal, sucre filé, caramel, dernier stade de sa cuisson, marquée d'une série d'étapes créatives et ô combien gourmandes. La cuisson du sucre se mesure aujourd'hui en degrés Celsius. À 100 °C, cuit au "nappé", il est sirop, translucide et léger, parfait pour les babas et les salades de fruits. À 101 °C, au "petit lissé", il entre dans la composition des pâtes d'amandes et des tourons ; à 102-103 °C, "grand filé" ou "lissé", on l'utilise pour le confisage des fruits ; à 107 °C, "grand perlé" ou "soufflé", c'est un sirop idéal pour les confitures ; à 109-118 °C, "petit boulé", il sert à la préparation des mousses et des meringues italiennes ; à 120-126 °C, c'est le "grand boulé" pour caramels mous ; à 129-133 °C, ou "petit cassé", on n'utilise pas le sucre, et l'on attend le "grand cassé" – 145-150 °C – voué aux sucres d'orge, berlingots, décors de sucre filé et barbe à papa... À 160 °C, c'est un caramel ambré, base de la nougatine, idéal pour caraméliser les choux, déguiser les fruits, chemiser les moules... À 170 °C, devenu très brun, ayant beaucoup perdu de son pouvoir sucrant, il ne sert plus qu'à colorer des préparations à base de caramel et des bouillons... avant la carbonisation, qui se situe vers 190 °C, où, après avoir fondu, le sucre part en fumée.

JUTEUSE ET CROQUANTE, ELSTAR,
POMME D'ÉTÉ VENUE DE L'AUTRE HÉMISPHÈRE, ANNONCE
NOTRE AUTOMNALE REINE DES REINETTES.

TARTE AUX POMMES
AU LAIT D'AMANDE DOUCE

pour 6 personnes :

- 250 g de pâte sucrée (recette p. 49)
- 1 kg de pommes de saison (reine des reinettes, cox orange, calville blanche ou rouge, granny-smith)
- 40 g de sirop d'orgeat véritable
- 100 g de raisins blonds sans pépins

- 30 g de pignons
- 30 g de noix grossièrement râpées
- 40 g de sucre cristallisé
- 40 g de beurre
- sucre glace

« Pour amplifier la saveur de cette tarte, mélangez différentes variétés de pommes - au moins trois sortes - afin que chacune d'entre elles apporte ce que les autres n'ont pas : douceur, acidité, consistance. »

La veille, coupez la moitié des pommes en quatre ; pelez-les et retirez-en le cœur ; coupez chaque quartier en cubes de 5/7 mm ; faites fondre le beurre dans une sauteuse de 24 cm ; ajoutez-y les cubes de pommes et poudrez-les de sucre. Laissez cuire 3 min, à feu vif, le temps que les pommes cuisent à demi. Retirez du feu ; ajoutez l'orgeat, les raisins, les pignons et les noix. Mélangez, versez le tout dans une terrine ; laissez refroidir ; couvrez la terrine et mettez-la au réfrigérateur.

Le lendemain, étalez la pâte sur une épaisseur de 2 mm ; garnissez-en un moule antiadhésif de 26 cm ; piquez-la de nombreux coups de fourchette. Couvrez-la d'un disque de papier sulfurisé frangé sur les bords et garnissez-la de noyaux d'abricots ou de légumes secs. Glissez la tarte au four, à 180 °C, pour 15 min.

Pendant ce temps, pelez les pommes restantes et retirez-en le cœur. Râpez-les finement. Lorsque la pâte a cuit 12 min, débarrassez-la du papier et de son contenu, garnissez-la du mélange de pommes aux fruits secs, parsemez-la de pommes râpées et mettez-la au four pour 20 min environ. Lorsque la tarte est cuite et refroidie, poudrez-la de sucre glace. Servez-la à peine tiède ou froide.

Cette recette est une extrapolation de la classique tarte aux pommes en très fines lamelles rangées en corolle sur une compote enrichie de raisins, où le plaisir de la dégustation vient de deux textures différentes d'un même fruit. L'orgeat est un sirop d'amande douce relevé d'une pointe d'amande amère, qui, lorsqu'on y ajoute de l'eau, ressemble à du lait, d'où l'expression "lait d'amande".

23

PÂTE FEUILLETÉE INVERSÉE

pour 1,2 kg de pâte :

POUR LA PREMIÈRE DÉTREMPE
• 375 g de beurre mou
• 150 g de farine
POUR LA DEUXIÈME DÉTREMPE
• 350 g de farine

• 15 g de fleur de sel
• 110 g de beurre fondu
• 1,5 dl d'eau
• 1/2 cuillerée à café de vinaigre cristal

L'IDÉAL pour cette pâte, est d'utiliser un beurre appelé "beurre sec" ou "beurre d'hiver" à cause de son taux d'humidité (14%) plus faible que celui du beurre courant (15 à 16%). Quant à la farine, elle doit être un mélange, à parts égales, de farines de blé types 55 et 45.

Il faut noter que la quantité d'eau peut varier en fonction du pouvoir d'absorption de la farine : il est donc prudent de ne pas incorporer toute l'eau d'un seul coup ; il sera toujours temps de l'ajouter à la détrempe si celle-ci est trop ferme : si une détrempe trop ferme n'est pas souhaitable (lorsque le beurre aura figé au réfrigérateur, elle sera difficile à étaler), une détrempe trop molle ne donne pas un beau feuilletage.

Pour réaliser la première détrempe, mélangez la farine et le beurre jusqu'à ce que la pâte forme une boule puis aplatissez-la en un disque de 2 cm d'épaisseur, entourez-la d'un film et réservez-la 1 h 30 au réfrigérateur, à 4°C.

Pour la seconde détrempe, mélangez tous les éléments, en tenant compte de ce qui a été dit ci-dessus à propos de l'eau. Lorsque la pâte est homogène, aplatissez-la en un carré de 2 cm d'épaisseur ; entourez-la d'un film et réservez-la 1 h 30 au réfrigérateur, à 4°C.

Lorsque les deux détrempes ont reposé, retirez-les du réfrigérateur ; aplatissez la première en un disque de 1 cm d'épaisseur ; posez la seconde au centre et rabattez les arcs du cercle de la première détrempe sur la seconde pour l'emprisonner parfaitement. Commencez d'étaler ce carré en tapant au poing sur toute la surface ; ensuite, utilisez le rouleau et, en partant du centre, allez doucement vers les bords pour former un rectangle vertical dont la longueur est égale à trois fois la largeur. Rabattez le quart inférieur du rectangle de manière que le bord inférieur arrive à la moitié du rectangle ; faites de même avec le quart supérieur : les deux petits côtés du rectangle se retrouvent bord à bord au centre. Pliez la pâte en deux par le milieu : vous venez de lui donner un "tour en portefeuille" dit aussi "tour double". Mettez ce rectangle à la verticale, de manière que la pliure se trouve à gauche et aplatissez-le légère-

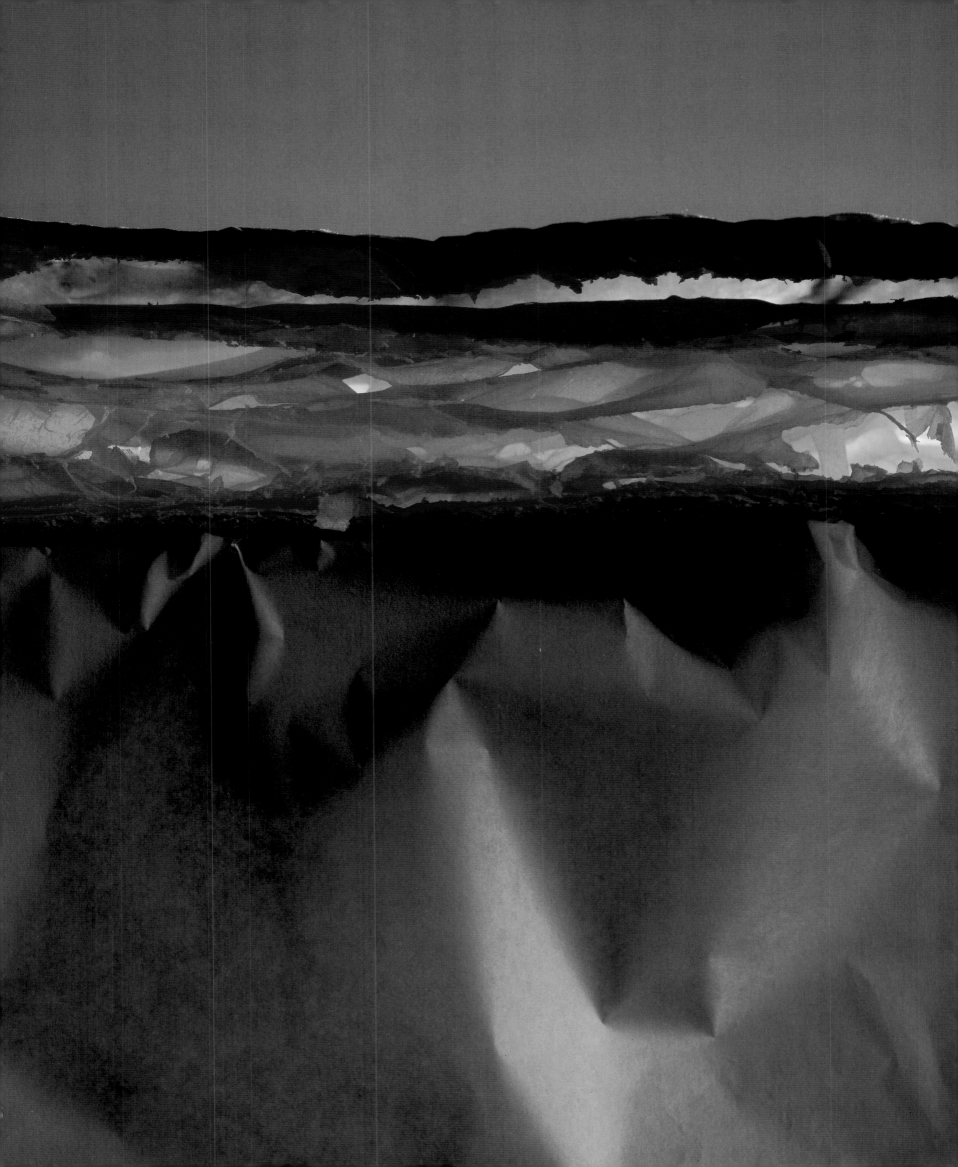

La pâte feuilletée inversée diffère de la pâte feuilletée classique en ce sens que la première détrempe qui habituellement se trouve emprisonnée dans la seconde est ici à l'extérieur : cette méthode permet d'obtenir une pâte qui non seulement se travaille plus facilement et supporte des tours doubles – ce qui va beaucoup plus vite – mais gonfle beaucoup à la cuisson en donnant un feuilletage arachnéen, somptueux et très subtil, croustillant et fondant tout à la fois...

ment ; enveloppez-le d'un film et mettez-le 1 heure au réfrigérateur. Au bout de ce laps de temps, aplatissez la pâte en l'écrasant un peu avec le poing puis étalez-la au rouleau (pliure toujours à gauche) à la verticale, pour obtenir un rectangle d'une longueur égale à trois fois la largeur. Pliez la pâte de la même façon que la première fois et remettez-la au réfrigérateur, enveloppée d'un film. À ce stade, la pâte doit rester au minimum 1 h au réfrigérateur – avant de subir un dernier tour, simple, celui-ci – mais elle peut y séjourner jusqu'à 48 heures : la présence du vinaigre évitera la formation de petits points noirs, sa couleur ne changera pas...

Le troisième et dernier tour, un "tour simple", se donne au moment d'utiliser la pâte. Étalez-la toujours de la même manière, mais, cette fois-ci, repliez le tiers inférieur sur le tiers central du rectangle et le tiers supérieur sur le tiers central : vous obtenez un carré ; laissez-le reposer, enveloppé d'un film, 1/2 heure au réfrigérateur, avant de l'étaler – entier ou en partie, coupé en quatre par exemple – d'un côté, puis de l'autre, afin de l'allonger uniformément. Pendant cette opération, et pour la faciliter, vous pouvez poudrer le plan de travail d'un peu de farine, mais il est préférable d'éviter de "fleurer" la pâte pendant que vous lui donnez des tours...

Pendant que vous l'étalez – de 1,5 à 2 mm, selon les cas –, détendez la pâte en la soulevant du plan de travail et en la faisant glisser sur les paumes de vos mains : ainsi, si vous devez la découper à l'emporte-pièce, elle ne se rétractera pas pendant la cuisson. Dressez cette pâte sur une plaque revêtue d'un papier siliconé mouillé, ce qui évitera qu'elle ne rétrécisse, puis, si vous ne possédez pas un outil performant tel que le rouleau "pique-vite", piquez-la de nombreux coups de fourchette. Glissez la plaque au réfrigérateur : laissez reposer la pâte 1 heure à 2 heures avant de la faire cuire 15 à 20 min, dans un four à 200 °C, baissé aussitôt à 190 °C, ou de la congeler : le résultat sera tout aussi beau.

FORELLE, FONDANTE ET RAFRAÎCHISSANTE
POIRE D'ÉTÉ VENUE DE L'HÉMISPHÈRE SUD, PRÉCÈDE LES
PREMIÈRES WILLIAMS D'AUTOMNE.

GALETTE DES ROIS

pour 6 personnes :

• 600 g de pâte feuilletée inversée
très froide (recette p. 24)
• 450 g de crème d'amande
(recette p. 166)

POUR DORER LA GALETTE :
• 1 œuf
• 1/2 jaune d'œuf
• 1 pincée de sel

« Lorsque vous découpez un cercle, un carré ou un rectangle dans de la pâte feuilletée, il vous reste des morceaux de pâte, qu'en langage pâtissier on appelle "rognures". Pour réutiliser cette pâte, ne pétrissez pas les rognures : assemblez-les en les superposant, appuyez fortement dessus ; utilisez-les pour confectionner des petits-fours salés : mini-tartelettes au jambon et au fromage, mini-pizzas, bouchées au gruyère et au paprika, croissants aux anchois, etc. »

COUPEZ la pâte en deux ; abaissez chaque pâton en un carré de 2 mm d'épaisseur. Dans ces carrés, découpez deux disques de 28 cm de diamètre : utilisez un petit couteau bien tranchant ; plantez-le droit dans la pâte afin d'éviter de l'écraser ou de la déchirer, ce qui empêcherait les bords de se développer harmonieusement pendant la cuisson... Notez que, pour la pâte feuilletée, la façon dont on la coupe détermine son comportement en cours de cuisson : des bords écrasés ou déchirés ne montent pas régulièrement, alors que des bords coupés net, perpendiculairement au feuilletage, montent harmonieusement.

Retournez le premier disque de pâte sur une plaque revêtue de papier siliconé. Dessinez sur la pâte un cercle à 3 cm du bord, afin de délimiter la surface sur laquelle vous étalerez la crème d'amande, qui doit rester à l'intérieur du cercle pour ne pas risquer de s'échapper. Passez un pinceau trempé dans de l'eau froide sur les bords intérieurs de la galette, sur 2 cm, afin de mieux sceller les deux abaisses de pâte : mouillez avec parcimonie, l'eau ne doit pas couler sur le côté. Étalez la crème d'amande.

Couvrez le premier disque de pâte du second, en le posant exactement dessus et après l'avoir retourné (le dessous d'une abaisse de pâte est plus lisse et plus parfait que le dessus).

Appuyez sur les bords pour sceller la pâte. Mettez la plaque au réfrigérateur pour 20 à 30 min, afin de bien raffermir la pâte, puis "chiquetez" la galette, en festonnant ainsi les bords : soulevez les deux bords joints de la pâte à l'aide de la pointe du petit couteau placé à l'envers et en biais, sur une largeur de 1 cm, et, tous les centimètres, en appuyant sur la pâte avec l'index entre deux opérations : pour plus de facilité, faites tourner la plaque sur le plan de travail.

Préparez le dorage : cassez l'œuf dans un bol, ajoutez-y le demi-jaune et le sel ; fouettez ; avec un pinceau plat trempé dans ce mélange, badigeonnez uniformément la surface de la galette. À l'aide du couteau, toujours tenu à l'envers, "rayez" la pâte à partir du centre, en dessinant des arcs de cercle espacés de 2 cm. Glissez la galette au four à 230 °C, baissé aussitôt à 190 °C pour 45 min, pas moins. Servez-la de préférence tiède.

Lorsque le temps des Rois est révolu, préparez un pithiviers en suivant cette recette, mais en présentant autrement le gâteau : dessinez sur les deux abaisses de pâte étalées à 2,5 mm une grande fleur à huit pétales ronds ; placez le couteau en biais pour en suivre les courbes et pour couper la pâte plus étroite en dessous qu'au-dessus : elle montera aussi haut sur les bords qu'au centre (le pithiviers doit être d'égale hauteur sur toute sa surface).

CHAUSSONS NAPOLITAINS

pour 24 chaussons :

- 1,2 kg de pâte feuilletée
(recette p. 24)
- 100 g de beurre fondu froid
- 150 g de sucre semoule
POUR LA GARNITURE :
- 400 g de pâte à choux (recette p. 135)

- 650 g de crème pâtissière
(recette p. 128)
- 150 g de raisins blonds d'Afrique
du Sud, sans pépins
- 2 cuillerées à soupe de rhum brun
agricole

L A veille, rincez les raisins ; mettez-les dans une casserole ; arrosez-les de rhum et couvrez-les d'eau ; portez à ébullition ; retirez du feu. Laissez les raisins gonfler. Deux à trois heures avant de préparer les chaussons, égouttez-les.

Étalez la pâte feuilletée sur 2 mm, en formant un rectangle de 50 cm x 1 m ; badigeonnez-le de beurre fondu froid ; poudrez-le uniformément de 50 g de sucre semoule. Roulez ce rectangle sur sa longueur, en un boudin très serré et réservez-le trois à quatre heures au réfrigérateur à 4 °C. Au bout de ce laps de temps, découpez-le en rondelles de 1 cm d'épaisseur ; étalez ces rondelles au rouleau en formant des ovales de 2 mm d'épaisseur ; poudrez-les, recto verso, avec le sucre semoule restant. Vous obtenez 24 morceaux de pâte. Préparez-en la garniture : mélangez dans une terrine, à l'aide d'un fouet, crème pâtissière et pâte à choux ; ajoutez les raisins. Répartissez 1/24 de cette préparation sur la moitié inférieure de l'ovale de pâte ; repliez la seconde moitié sur la garniture en soudant les bords après les avoir légèrement humidifiés. Rangez les chaussons sur trois plaques revêtues de papier siliconé. Faites-les cuire 20 min au four chaud à 180 °C, puis laissez-les refroidir sur une grille.

« Les gâteaux napolitains appelés "sfogliatelle ricce" ont une forme identique à ces chaussons, mais ils sont fourrés de ricotta de brebis mélangée à de la crème pâtissière et à des fruits confits – se résumant parfois au seul cédrat. »

Le plus délicat est de découper la pâte et de l'étaler en ovale..., mais cela fait tout le charme et toute la saveur de ces chaussons que vous dégusterez plutôt tièdes...

31

PÂTE FEUILLETÉE CARAMÉLISÉE

pour une plaque :

- 400 g de pâte feuilletée inversée (recette p. 24)
- 40 g de sucre semoule
- 20 g de sucre glace

ÉTALEZ la pâte feuilletée au rouleau sur une épaisseur de 2 mm. Découpez-la aux dimensions d'une plaque à pâtisserie. Posez un papier siliconé sur la plaque ; mouillez-le légèrement à l'aide d'un pinceau et couchez-y la pâte. Glissez la plaque au réfrigérateur : la pâte doit s'y reposer de 1 à 2 heures afin qu'elle monte mieux et cuise sans se rétracter.

Au bout de ce laps de temps, poudrez la pâte de sucre semoule, de manière uniforme et glissez la plaque au four chaud à 230 °C, aussitôt baissé à 190 °C : la pâte cuira en 18 à 20 min. Laissez-la cuire 8 min puis couvrez-la d'une grille pour l'empêcher de lever excessivement ; poursuivez la cuisson 5 min. Retirez la pâte du four, ôtez la grille, couvrez-la d'un papier siliconé sec puis d'une seconde plaque, identique à la première ; retournez les deux plaques, sens dessus dessous, en les maintenant bien ensemble, sur le plan de travail ; retirez la première plaque et le papier qui ont servi à la précuisson de la pâte puis, le dessous se trouvant maintenant au-dessus, poudrez-la uniformément de sucre glace avant de la glisser au four à 250 °C où elle achèvera de cuire. Pendant les 8 à 10 min que durera le dernier tiers de la cuisson, le sucre va devenir jaune avant de fondre puis de caraméliser. Retirez la pâte du four : sa surface est lisse et brillante et, dessous, elle est mate et croquante, du fait de l'incrustation du sucre semoule dans la pâte en début de cuisson… sa texture est délicieuse.

« Cette pâte est en soi une exquise friandise. Découpez-la en bâtonnets ou en carrés et servez-la telle quelle ou garnie d'un flocon de chantilly ou de mousse au chocolat, avec le café. »

Voici la pâte idéale pour la préparation des millefeuilles grands ou petits, que la crème ne détrempe pas facilement du fait de sa caramélisation…

33

MILLEFEUILLE
pour 12 gâteaux individuels :

- 2 plaques de pâte feuilletée caramélisée (recette p. 33)
- 750 g de crème pâtissière (recette p. 128)
- 1,5 dl de crème liquide très froide
- 2 cuillerées à café de sucre semoule
- 10 "Gavottes" (crêpes dentelles croustillantes)
- sucre glace

DANS un bol, brisez les Gavottes entre vos doigts pour obtenir de petites miettes. Fouettez la crème liquide, jusqu'à ce qu'elle soit ferme ; ajoutez-y le sucre ; mettez la crème pâtissière dans une terrine ; ajoutez-y la chantilly, en la soulevant délicatement : la crème à millefeuille est prête.

Recouvrez le plan de travail d'un linge ; posez la pâte feuilletée caramélisée (une plaque à la fois) dessus. Découpez dans chaque plaque 3 rectangles de 10 x 24 cm. Posez un rectangle de pâte sur le plan de travail, côté caramélisé brillant vers le haut ; à l'aide d'une spatule, couvrez-le d'un quart de crème à millefeuille, posez un rectangle de pâte dessus, dans le même sens, puis couvrez-le d'un quart de crème et terminez par un rectangle de pâte. Entourez le gâteau de miettes de Gavottes qui adhèrent très facilement à la crème et poudrez sa surface de sucre glace puis découpez dans ce grand gâteau et, dans le sens de la largeur, six petits gâteaux de 4 cm de large.

Réalisez de la même manière un second grand gâteau pour en obtenir 12 petits.

En saison, confectionnez des millefeuilles aux fruits rouges composés d'une seule couche de crème – piquée de nombreux fruits rouges assortis ou seulement de fraises, de framboises ou de fraises des bois – entre deux couches de pâte feuilletée caramélisée...

CROISSANTS

pour 24 croissants :

- 600 g de farine type 45
- 35 g de beurre très mou + 325 g de beurre froid
- 12 g de levure de boulangerie
- 15 g de poudre de lait entier
- 200 g d'eau froide (20 °C)

75 g de sucre semoule
12 g de fleur de sel
POUR DORER :
- 2 œufs
- 1 jaune d'œuf
- 1 pincée de sel

TAMISEZ la farine dans une terrine ; ajoutez-y le sel, le sucre, la poudre de lait, le beurre très mou et la levure délayée dans les 2/3 de l'eau. Travaillez la pâte jusqu'à ce que tous les ingrédients soient amalgamés ; ne la travaillez pas plus longtemps. Si la pâte est trop ferme et manque de souplesse, ajoutez-y l'eau restante (la quantité varie selon la capacité d'absorption de la farine). Couvrez le récipient d'un film et laissez la pâte "pointer" – doubler de volume – entre 1 h et 1 h 30, selon la température ambiante, la température idéale étant de 22 °C.

Après ce premier "pointage", "rabattez" la pâte : retirez-la du récipient et écrasez-la avec le poing pour lui redonner son volume initial ; remettez la pâte dans le récipient, couvrez-la d'un film et mettez-la au réfrigérateur – à 4 °C – pour un second pointage qui durera de 1 h à 1 h 15, et au terme duquel vous la "rabattrez" à nouveau... À ce stade de la préparation, deux solutions s'offrent à vous : enchaîner les opérations ou garder la pâte au réfrigérateur pour le lendemain. Dans les deux cas, la pâte doit faire un séjour préalable obligé de 30 min au congélateur... Au moment de préparer les croissants, travaillez les 325 g de beurre en le malaxant pour l'assouplir. Étalez la moitié de ce beurre sur les deux tiers inférieurs de la pâte et donnez-lui un tour simple avec le beurre puis un second tour simple sans le beurre (cf. recette de la pâte feuilletée inversée p. 24).

Après un séjour de la pâte de 30 min au congélateur et de 1 h au réfrigérateur, recommencez l'opération avec le beurre restant et remettez la pâte 30 min au congélateur et 1 heure au réfrigérateur... La pâte est maintenant prête. Vous pouvez l'étaler sur 2,5 mm et y découper des triangles de 20 cm de haut et de 12 cm de base (soit 60 g de pâte par croissant). Roulez ces triangles en partant de la base ; courbez-les en croissants et rangez-les sur une plaque revêtue de papier siliconé, en les espaçant de 5 cm ; laissez-les lever de 1 h 30 à 2 heures à température ambiante.

Au bout de ce laps de temps, dorez-les en les badigeonnant au pinceau d'œufs battus avec le jaune et le sel, puis faites-les cuire 20 min au four chaud (220 °C, aussitôt baissé à 190 °C).

Vous pouvez avec cette même pâte confectionner des croissants fourrés en roulant avec la pâte 50 g de pâte d'amande nature et en les poudrant d'amandes effilées (photo p. 38) ou de pâte d'amande aromatisée à la pistache plus deux carrés de chocolat noir... Pour les pains au chocolat, découpez dans la pâte des rectangles de 13 x 6,5 cm, pliez-les en trois après les avoir fourrés d'une barre de chocolat puis dorez-les à l'œuf : 2 œufs + 1 jaune battus avec une pincée de fleur de sel.

37

PAINS AUX RAISINS
ET PAINS À LA CANNELLE

pour 24 pains :

• 1,7 kg de pâte à brioche feuilletée
(recette p. 79)
• 250 g de raisins blonds sans pépins ou
4 g de cannelle de Ceylan en poudre
• 175 g de crème d'amande
(recette p. 166)

POUR LE GLAÇAGE À L'ORANGE :
• 150 g de sucre glace
• 3 cuillerées à soupe de jus d'orange
• 2,5 g de gomme arabique en poudre
• 2,5 g de poudre de lait entier
• 1 cuillerée à soupe de Cointreau

La veille, préparez le glaçage à l'orange : dans une casserole, mélangez le lait, la gomme arabique (que vous trouverez en pharmacie) et le sucre glace (en le tamisant) ; diluez avec le jus d'orange ; faites chauffer légèrement, en tournant avec une spatule ; ajoutez le Cointreau et mettez au réfrigérateur. Abaissez la pâte à 2,5 mm, en un rectangle de 60 cm de long ; si vous voulez confectionner des pains aux raisins, couvrez la pâte de crème d'amande et parsemez-la de raisins ; si vous voulez confectionner des pains à la cannelle, mélangez la cannelle à la crème d'amande. En partant de la largeur du rectangle, roulez la pâte sur elle-même, sur ses 60 cm de long ; coupez-la en rondelles de 2 cm d'épaisseur ; mettez-les au congélateur 30 min puis rangez ces colimaçons de pâte sur des plaques revêtues de papier siliconé, en les espaçant de 5 cm. Glissez le petit bout de pâte extérieur sous les colimaçons, afin de donner aux gâteaux une forme bien ronde. Laissez-les doubler de volume à température ambiante puis faites-les cuire au four à 200 °C, pendant 18 à 20 min.
À leur sortie du four, badigeonnez les pains de glaçage à l'orange, à l'aide d'un pinceau : ils se revêtent aussitôt d'un nappage brillant et parfumé du plus bel effet. Dégustez-les juste tièdes.

39

TARTELETTES AUX FRAISES
À LA GELÉE DE FRAISE

pour 8 personnes :

• 250 g de pâte sucrée (recette p. 49)
• 200 g de crème d'amande
(recette p. 166)
• 40 grosses fraises

POUR LA GELÉE DE FRAISE :
• 500 g de fraises
• 400 g de sucre semoule
• 20 g de pectine (type Vitpris)
• 2 cuillerées à café de jus de citron

Lorsque les fruits sont très mûrs, quelques miettes de biscuit à la cuillère ou de génoise, parsemées sur la crème d'amande, en absorbent le jus qui ainsi ne la détrempera pas en cours de cuisson.

PRÉPAREZ d'abord la gelée de fraise, que vous pourrez conserver un mois au réfrigérateur : lavez les fraises ; épongez-les ; équeutez-les ; réduisez-les en purée dans un robot ; filtrez cette purée ; versez la purée de fraise dans une casserole ; faites chauffer ; ajoutez le sucre et la pectine ; portez à ébullition ; laissez bouillir 2 min en écumant soigneusement ; retirez du feu ; ajoutez le jus de citron. Laissez refroidir.

Abaissez la pâte au rouleau sur une épaisseur de 1,5 mm ; garnissez-en 8 moules à tartelettes de 8 cm ; piquez la pâte de nombreux coups de fourchette. Répartissez la crème d'amande dans les tartelettes et faites-les cuire au four, à 180 °C, pendant 20 min.

Laissez-les refroidir, puis garnissez-les de fraises équeutées ; disposez-les en couronne sur les tartelettes et nappez-les de gelée de fraise, à l'aide d'un pinceau (si la gelée s'est gélifiée, ajoutez une ou deux cuillerées d'eau).

Vous pouvez aussi réaliser une seule grande tarte ou des mini-tartelettes garnies d'une seule fraise. Avant de les napper de gelée, poudrez les fraises d'un nuage de poivre noir du moulin.

Au centre des tartelettes, vous pouvez glisser un gros flocon de chantilly. Vous réaliserez de très bonnes tartes aux fraises avec de la pâte feuilletée : étalez une fine abaisse de pâte ; découpez-y, à l'aide d'un cercle ou d'un emporte-pièce, un grand cercle, ou 8 petits ; sur chaque disque de pâte, posez un cercle de 2 à 4 cm plus petit et piquez l'intérieur de nombreux coups de fourchette afin que la pâte monte sur les bords et non au centre. Faites cuire la pâte telle quelle ou caramélisez-la (recette p. 33). Laissez-la refroidir avant de la garnir de crème à millefeuille (recette p. 35) et d'y piquer des fraises que vous napperez de gelée de fraise.

42

PHYSALIS, ALKÉKENGE, COQUERET DU PÉROU,
AMOUR-EN-CAGE : CACHÉE SOUS UNE CLOCHETTE DE
FEUILLES SÈCHES, UNE BAIE COULEUR TANGO,
DÉLICIEUSEMENT ACIDULÉE.

LA
FARINE

PRINCIPAL ingrédient de la pâtisserie, la farine joue le premier rôle dans la fabrication des pâtes, de celles que l'on appelle "sèches" – brisées ou sablées – aux pâtes levées – bases des brioches, beignets, kugelhopfs, en passant par les pâtes à biscuits, pâtes feuilletées et autres pâtes à crêpes.

Toutes les céréales, une partie des légumes et certains fruits secs – le blé, l'orge, l'avoine, le seigle, le sarrasin, le maïs, la lentille, le pois chiche, la châtaigne – donnent, une fois moulus, une farine à usage culinaire ou pâtissier. Mais seul le blé donne une farine panifiable car elle contient du gluten qui favorise la levée de la pâte et contribue à sa fermentation. Aussi, lorsqu'on veut ajouter à un gâteau de la farine de blé noir, de maïs ou de châtaigne, faut-il utiliser une certaine proportion de farine de blé si l'on veut que le gâteau lève.

Lorsque le grain de blé arrive au moulin, il est nettoyé, lavé et débarrassé du "gros son" avant d'être écrasé dans des moulins à cylindres dans lesquels il passe plusieurs fois, puis dans des tamis – les blutoirs – de plus en plus fins pour obtenir la granulométrie idéale – celle de type 45, la plus fine, qui se situe entre 180 et 200 microns.

Dans cette farine idéalement blanche, fine "fleur de froment" qu'on appelle "farine de gruau", il reste pourtant quelques impuretés logées non pas dans l'amande mais dans l'écorce du grain – paille, son, terre, poussière, débris divers – qu'on appelle "cendres" : ainsi, une farine de type 45 a un taux d'extraction de cendres de 65 %, et ainsi de suite. Ces cendres ne nuisent pas au bon goût de la farine. Le type 75, par exemple, farine complète idéale pour certains pains, contenant du son mais aussi le germe du blé, leur donne une couleur dorée, un bon goût de céréale et un parfum délicieux.

Pierre Hermé utilise 600 kilos de farine de blé par semaine, essentiellement de la farine type 55 pour les biscuits et les pâtes sèches et de la farine type 45 pour les brioches, les croissants, les pâtes feuilletées, les babas.

Au-delà du type 55, les farines ont trop de goût pour être utilisées en pâtisserie : elles peuvent cependant servir à la confection de certains gâteaux rustiques riches en épices, à base de miel ou de sucre roux, comme les gâteaux anglo-saxons qui accompagnent le thé de cinq heures et se conservent longtemps ; tandis que les farines blanches et fines constituent un support idéalement neutre sur lequel le pâtissier peut jouer à loisir, qui mettra en valeur le goût du beurre et des amandes, des fruits, des œufs, des parfums et des sucres et donnera des pâtes ultra légères qu'un soupçon de levure suffit à faire gonfler. Ces farines fines doivent toujours être tamisées avant d'être utilisées, car il suffit de les entreposer un peu trop longtemps pour qu'elles se tassent et fassent des grumeaux. Pierre Hermé déconseille de garder trop longtemps la farine, même dans de bonnes conditions et trouve trop longs les délais de consommation recommandés. Pour lui, qui ne la garde pas plus d'un mois, la farine est un produit frais qu'il faut utiliser le plus tôt possible après l'achat, qui se gâte rapidement et perd vite de sa force – donc monte moins bien – même lorsqu'elle est issue, comme la sienne, des blés tendres de Beauce, dits "blés de force".

PÂTE BRISÉE

pour 1 kg de pâte :

- 500 g de farine
- 375 g de beurre à température ambiante
- 2 cuillerées à café rases de fleur de sel
- 2 cuillerées à café rases de sucre semoule
- 1 jaune d'œuf
- 1 dl de lait à température ambiante

TAMISEZ la farine. Mettez tous les ingrédients, sauf la farine, dans le bol d'un robot. Faites tourner l'appareil équipé du couteau en plastique, jusqu'à obtention d'une crème homogène, puis ajoutez la farine ; arrêtez l'appareil dès que la pâte forme une boule, sans la travailler plus longtemps ; entourez-la d'un film et glissez-la au réfrigérateur. Laissez reposer la pâte 4 heures au moins avant de l'utiliser : le repos la détend en la rendant souple et malléable. Ainsi, vous l'abaisserez très facilement et elle ne se rétractera pas pendant la cuisson. Vous pourrez l'utiliser 48 heures encore après sa préparation et aussi la congeler, en boules de poids variables selon l'usage que vous en ferez ultérieurement.

Avec cette quantité de pâte, vous réaliserez quatre grandes tartes de 24 à 26 cm, six tartes moyennes, seize petites tartes de 10 cm et un grand nombre de tartelettes. Laissez la pâte décongeler avant de l'abaisser sans la retravailler (elle se rétracterait à la cuisson et perdrait sa texture croquante et délicatement sablée) et garnissez-en le ou les moules beurrés ; piquez-la de nombreux coups de fourchette et laissez-la séjourner 30 min au réfrigérateur avant de la faire précuire "à blanc" (tapissée de papier siliconé et remplie de légumes secs ou de noyaux d'abricots) ou de la garnir pour la faire cuire aussitôt.

PÂTE SUCRÉE

pour 1,2 kg de pâte :

- 500 g de farine
- 300 g de beurre à température ambiante
- 190 g de sucre glace
- 60 g de poudre d'amande

- 2 œufs
- 4 pincées de fleur de sel
- 1/3 de cuillerée à café de vanille en poudre ou l'intérieur d'une demi-gousse de vanille fendue et grattée

TAMISEZ la farine et le sucre glace, séparément. Cassez les œufs dans un bol. Mettez le beurre dans le bol d'un robot équipé du couteau en plastique : malaxez-le à vitesse moyenne pour l'assouplir et l'homogénéiser puis ajoutez successivement le sucre glace, la poudre d'amande, le sel, la vanille, les œufs et, enfin, la farine. Dès que la pâte forme une boule, cessez de faire tourner l'appareil : travailler plus longtemps la pâte lui ferait perdre sa texture finement sablée. Entourez-la d'un film et réservez-la une nuit au réfrigérateur afin qu'elle se détende, s'assouplisse, pour qu'elle ne se craquèle pas lorsque vous l'étalerez et ne se rétracte pas pendant la cuisson.

Vous pouvez conserver la pâte 48 heures au réfrigérateur ou encore la congeler, en boules de poids variables selon l'usage que vous voulez en faire ultérieurement.

Avec cette quantité de pâte, vous réaliserez quatre très grandes tartes de 26 à 28 cm, cinq grandes tartes de 24 cm, six tartes moyennes de 22 cm, seize petites tartes de 12 cm et une multitude de tartelettes.

Laissez la pâte décongeler avant de l'abaisser au rouleau sans la retravailler ; garnissez-en des moules beurrés ; laissez-la séjourner 30 min au réfrigérateur ; piquez-la de nombreux coups de fourchette et laissez-la séjourner 30 min au moins au réfrigérateur avant de la faire précuire "à blanc" – tapissée de papier siliconé et remplie de légumes secs ou de noyaux d'abricots – ou de la garnir et de la faire cuire aussitôt. Évitez d'utiliser des billes de plomb, qui écrasent trop la pâte et l'empêchent de cuire harmonieusement.

49

TARTE AUX FIGUES NOIRES

pour 6 personnes :

- 250 g de pâte brisée (recette p. 48)
- 180 g de crème d'amande
(recette p. 166)
- 600 g de figues noires mûres à point

POUR LE SUCRE-CANNELLE :
- 50 g de sucre semoule
- 1/3 de cuillerée à café de cannelle de Ceylan en poudre

ÉTALEZ la pâte brisée sur une épaisseur de 2 mm ; garnissez-en un moule à tarte antiadhésif de 26 cm, ou un cercle de même dimension posé sur une plaque revêtue de papier siliconé. Piquez le fond de nombreux coups de fourchette afin que la pâte ne se boursoufle pas pendant la cuisson.

Répartissez la crème d'amande dans le fond de tarte. Lavez et épongez les figues ; coupez-les en quatre, verticalement ; disposez-les pointe vers le haut, en cercles concentriques, sur la pâte, peau contre la crème d'amande. Faites cuire la tarte au four, à 180 °C, pendant 40 minutes.

À sa sortie du four, laissez tiédir la tarte 5 min avant de la poser sur une grille... Servez-la à peine tiède ou froide, poudrée de sucre-cannelle que vous aurez obtenu en mélangeant la poudre de cannelle de Ceylan au sucre semoule.

Servez cette tarte parsemée de framboises fraîches et accompagnée d'un coulis de framboise (recette p. 220). Utilisez des figues noires comme celles de Solliès, à la peau fine, à la pulpe rouge et sucrée.

TARTE "DUO DE CERISES"

pour 6 personnes :

- 300 g de pâte brisée (recette p. 48)
- 250 g de crème d'amande (recette p. 166)
- 500 g de cerises noires burlat ou cœur de pigeon
- 500 g de griottes
- 50 g de sucre semoule

POUR LE STREUSEL :
- 50 g de beurre froid
- 50 g de sucre semoule
- 50 g de poudre d'amande
- 50 g de farine
- 2 pincées de fleur de sel

« Il arrive qu'on ne trouve pas en même temps des cerises noires et des griottes, les premières étant plus précoces que les secondes. Or, ce qui est délicieux dans cette tarte, c'est le mariage de leurs deux saveurs, l'une douce, l'autre acidulée. N'hésitez pas à utiliser des griottes surgelées : elles sont d'excellente qualité. Quant aux cerises noires, évitez de les dénoyauter pour retrouver dans la chair le délicieux parfum du noyau. »

SIX à huit heures avant de préparer la tarte, dénoyautez les griottes ; mettez-les dans une terrine ; poudrez-les de sucre semoule ; laissez-les macérer 2 heures puis mettez-les dans une passoire et laissez-les s'égoutter 1 ou 2 heures.

Abaissez la pâte sur une épaisseur de 2 mm ; garnissez-en un moule à tarte antiadhésif de 26 cm de diamètre ; piquez la pâte de nombreux coups de fourchette, afin que la tarte ne se boursoufle pas pendant la cuisson. Garnissez-la de griottes ; couvrez les fruits de crème d'amande puis piquez-la de cerises noires ; glissez le moule au four, à 180 °C, pour 20 min.

Pendant ce temps, préparez le "streusel" : coupez le beurre en cubes de 1,5 cm ; mettez-le dans le bol d'un robot équipé de la lame en Inox, avec le sucre, le sel, la farine et la poudre d'amande. Mixez 30 secondes – pas plus longtemps, la préparation formerait une pâte – afin d'obtenir une grosse semoule, le "streusel", que vous mettrez sur une assiette au réfrigérateur.

Lorsque la tarte a cuit 20 min, parsemez-la de "streusel" et remettez-la au four pour 15 min. Lorsqu'elle est cuite, laissez-la tiédir 10 min avant de la démouler et laissez-la refroidir sur une grille. Servez-la à peine tiède ou froide, le jour même de sa préparation, poudrée d'un voile de sucre glace.

On dit toujours qu'une tarte est bonne lorsque sa pâte est très fine. Je ne suis pas de cet avis : une très bonne pâte mérite une certaine épaisseur, surtout lorsque la garniture est importante, comme c'est le cas pour cette tarte. Je prends un réel plaisir à déguster une pâte épaisse et parfaitement cuite.

TARTE AUX PÊCHES

pour 6 personnes :

- 250 g de pâte feuilletée (recette p. 24)
- 180 g de crème d'amande (recette p. 166)
- 8 pêches jaunes mûres à point (900 g)
- 4 cuillerées à soupe de nappage abricot
- 2 cuillerées à soupe de sucre semoule
- 20 g de beurre mou

« Lorsque les fruits sont très mûrs, quelques miettes de biscuit à la cuillère ou de génoise, parsemées sur la crème d'amande, en absorbent le jus qui, ainsi, ne la détrempera pas en cours de cuisson. »

Vous pouvez préparer de la même manière une tarte aux abricots : ceux-ci doivent être très mûrs, et, avant cuisson, largement poudrés de sucre et parsemés de flocons de beurre.

BEURREZ un cercle de 22 cm de diamètre et posez-le sur une plaque à pâtisserie revêtue de papier siliconé ; poudrez de sucre semoule : ce sucre fera croustiller la pâte. Vous pouvez aussi utiliser un moule de même diamètre, antiadhésif de préférence, qu'il sera inutile de beurrer, mais dont vous pouvez poudrer le fond de sucre.

Étalez la pâte au rouleau sur une épaisseur de 2 mm, mettez-la au réfrigérateur 30 min puis soulevez-la et placez-la au-dessus du cercle ou du moule. Posez-la doucement, en la laissant dépasser des bords. Calez la pâte dans le moule de manière qu'elle en épouse bien la forme et ne fasse pas d'épaisseur entre le fond et les bords ; faites légèrement rentrer la pâte à l'intérieur du moule – 4 ou 5 mm – en appuyant avec les doigts. Coupez les bords de la pâte au rouleau ; pincez la pâte entre le pouce et l'index de la main droite en maintenant le moule de la main gauche, tout en faisant tourner le moule, de manière à former une crête ; piquez le fond de nombreux coups de fourchette et glissez la tarte au réfrigérateur pour 30 min.

Découpez dans du papier sulfurisé un cercle de 26 cm de diamètre ; pliez-le en quatre ; avec des ciseaux, frangez-le tout autour, sur une largeur de 2,5 cm ; dépliez-la et couvrez-en la pâte : les bords frangés du papier se superposent en épousant parfaitement le bord de la tarte ; remplissez le fond de noyaux d'abricots ou de légumes secs et glissez la tarte au four, préchauffé à 185 °C, pour 12 min. Au bout de ce laps de temps, retirez le papier et les légumes ou noyaux qu'il contient et laissez cuire la pâte, seule, 5 min environ, jusqu'à ce qu'elle dore légèrement. Étalez la crème d'amande sur la pâte ; coupez les fruits en quatre ; retirez-en le noyau ; disposez les quartiers en rosace, peau en dessous, en les imbriquant les uns dans les autres.

Remettez la tarte au four pour 22 à 25 min, jusqu'à ce que les fruits caramélisent légèrement.

À la sortie du four, étalez sur les fruits une fine couche de nappage abricot, à l'aide d'un pinceau. Dégustez cette tarte tiède, de préférence.

QUETSCHE D'ALSACE : SOUS LA PEAU
VIOLETTE, UNE PULPE ROUGE, FERME, CROQUANTE,
D'UNE EXTRÊME DOUCEUR.
IDÉALE POUR TARTES ET CONFITURES.

TARTE AUX QUETSCHES D'ALSACE

pour 6 personnes :

- 250 g de pâte brisée (recette p. 48)
- 4 cuillerées à soupe de miettes de génoise ou de pain de Gênes ou d'un autre biscuit
- 800 g de quetsches d'Alsace

POUR LE SUCRE-CANNELLE :
- 100 g de sucre semoule
- 2/3 de cuillerée à café de cannelle de Ceylan en poudre

ÉTALEZ la pâte sur une épaisseur de 2 mm ; garnissez-en un moule à tarte antiadhésif de 26 cm de diamètre ou un cercle de même dimension posé sur une plaque revêtue de papier siliconé. Piquez le fond de nombreux coups de fourchette, afin que la pâte ne se boursoufle pas pendant la cuisson. Poudrez la pâte de miettes de biscuit.

Lavez les quetsches ; épongez-les ; fendez-les longitudinalement ; ôtez-en le noyau ; disposez-les, debout, sur la pâte, ouvertes, peau contre la pâte, en cercles concentriques.

Faites cuire la tarte au four, à 180 °C, pendant 40 min : les quetsches doivent littéralement confire et se dessécher légèrement pendant la cuisson. À sa sortie du four, attendez cinq minutes avant de démouler la tarte et de la laisser refroidir sur une grille. Au moment de la servir, poudrez-la abondamment de sucre-cannelle que vous aurez obtenu en mélangeant le sucre et la cannelle en poudre.

« La cannelle de Ceylan, au parfum doux, capiteux et fleuri, est l'écorce pilée du cannelier de Ceylan, cultivé dans de nombreux pays orientaux. On récolte l'écorce des jeunes pousses que l'on présente sous forme de fins copeaux ou que l'on pile. La cannelle de Chine n'est pas de la cannelle véritable, mais de la "casse". Son parfum est moins fin, sa saveur plus piquante et sa couleur plus sombre. »

Je ne confectionne des tartes aux quetsches que de la fin août à la fin septembre, avec de véritables quetsches d'Alsace à la chair rouge et pulpeuse, au goût et au parfum uniques. C'est mon amie pâtissière Christine Ferber qui me les envoie chaque semaine, par colis de 30 à 40 kilos, de son village de Niedermorschwihr.

TARTE À LA BERGAMOTE

pour 8 personnes :

- 250 g de pâte sucrée (recette p. 49)
- 180 g de crème d'amande (recette p. 166)
- 500 g de bergamotes, cédrats-bergamotes ou citrons de Nice
- 250 g de sucre semoule
- 50 g de nappage translucide (recette p. 195)

POUR LE DÉCOR :
- 100 g de blancs d'œufs
- 140 g de sucre semoule
- 2 cuillerées à soupe d'eau minérale
- 1 cuillerée à soupe de gin
- 4 pincées de poivre noir fraîchement moulu

PRÉPAREZ les fruits 24 heures à l'avance : coupez-les en rondelles translucides, sur une mandoline ou dans une machine à trancher. Mettez-les dans une terrine ; faites bouillir le sucre avec 1/2 litre d'eau ; versez ce sirop, bouillant, sur les fruits et laissez macérer au frais.

Lorsque les fruits ont macéré 24 heures (notez que vous pouvez les conserver quatre jours au réfrigérateur), prélevez-en 300 g en les égouttant de leur sirop ; hachez-les et mouillez-les de nappage (réservez le reste des fruits dans leur sirop pour d'autres usages, entremets ou petits-fours).

Étalez la pâte sur une épaisseur de 2 mm ; garnissez-en un cercle ou un moule de 22 cm ; piquez la pâte de nombreux coups de fourchette puis dessinez, au couteau, des croisillons de 5 à 6 cm, espacés de 2 cm, afin qu'elle ne fasse pas de cloques pendant la cuisson. Versez la crème d'amande sur la pâte ; glissez-la au four, à 180 °C, pour 20 min : soulevez la pâte pour vérifier qu'elle est bien cuite en dessous, sinon couvrez-la d'une feuille d'aluminium et poursuivez la cuisson.

Lorsque la tarte est cuite et refroidie, garnissez-la de fruits hachés et préparez la meringue-décor : faites bouillir le sucre et l'eau minérale jusqu'à 118-121 °C.

Mettez les blancs dans la cuve d'un robot équipé du fouet-boule ; fouettez-les pour les faire mousser puis versez-y le sirop, en mince filet, et continuez de les fouetter, en ajoutant le gin et le poivre, jusqu'à ce qu'ils soient froids. Glissez cette meringue parfumée dans une poche munie d'une douille à "chiboust" (fendue en pointe) puis recouvrez-en la tarte, en dessinant le cœur et les pétales d'une fleur imaginaire, avant de la passer au four très chaud, à 250 °C, pendant 3 ou 4 min.

Servez cette tarte à température ambiante, telle quelle ou accompagnée d'un coulis de framboise (recette p. 220). Il vous sera sans doute très difficile de trouver des bergamotes : remplacez-les par des citrons de Nice, doux et subtilement parfumés, des cédrats de Sicile ou de Corse, ou par des cédrats qui recèlent le merveilleux parfum de la bergamote, appelés cédrats-bergamotes.

59

MINI-TARTELETTES
AUX PHYSALIS
ET AUTRES FRUITS

pour 24 mini-tartelettes :

- 300 g de pâte sucrée (recette p. 49)
- 220 g de crème d'amande (recette p. 166)
- 100 g de pâte d'amande (recette p. 186)
- 150 g de nappage translucide (recette p. 195)
- 25 g de beurre très mou
- 24 physalis

BEURREZ 24 moules à tartelettes de 3 cm de diamètre, à l'aide d'un pinceau ; rangez-les sur une plaque. Étalez la pâte sur une épaisseur de 1,5 mm, en un rectangle aux dimensions égales à celui que forment les petits moules serrés les uns contre les autres. Recouvrez les moules de la pâte ; passez un rouleau sur la pâte qui se découpe automatiquement en suivant les bords des tartelettes : ôtez la pâte intermédiaire ; appuyez sur la pâte pour bien la faire adhérer aux petits moules ; piquez-la de quelques coups de fourchette. Répartissez la crème d'amande dans les moules. Glissez la plaque au four, à 180 °C, pour 12 à 15 min : les tartelettes doivent être dorées. Démoulez-les et laissez-les refroidir sur une grille. Étalez très finement la pâte d'amande (que vous aurez parfumée à la pistache) et découpez-y 24 petits disques en utilisant les moules comme emporte-pièce. Posez un disque de pâte d'amande sur chaque tartelette. Faites fondre le nappage translucide à feu doux, sans le faire chauffer. Écartez les feuilles des physalis – justement surnommés "amours-en-cage" – en les déchirant pour libérer le fruit, relevez-les, torsadez-les et trempez les fruits dans le nappage avant de les poser au centre de chaque tartelette.
Servez ces petits-fours au moment du café.

« Vous pourrez confectionner des mini-tartelettes différentes en mélangeant à la crème d'amande avant cuisson des griottes au naturel, des cerises noires fraîches dénoyautées, des grains de raisin muscat épépinés. »

L'utilisation de la pâte d'amande est facultative. Vous confectionnerez de la même manière – sans pâte d'amande – des mini-tartelettes aux myrtilles, aux mûres, au melon détaillé en petites billes à l'aide d'une cuillère parisienne, aux fruits rouges (framboises, fraises des bois, groseilles), à l'orange (tranches d'orange pochées hachées).

61

TARTE À LA RHUBARBE

pour 6 personnes :

« Vous pouvez garnir la tarte cuite de meringue à l'italienne et la repasser 5 min au four, ou bien, comme pour la tarte "duo de cerises" (p. 53), la couvrir de "streusel" après 15 minutes de cuisson. »

- 250 g de pâte brisée (recette p. 48)
- 120 g de sucre semoule
- 600 g de rhubarbe
POUR L'APPAREIL AUX AMANDES :
- 75 g de sucre semoule
- 1 œuf
- 25 g de poudre d'amande
- 2 1/2 cuillerées à soupe de lait
- 2 1/2 cuillerées à soupe de crème liquide
- 55 g de beurre noisette froid

J'aime beaucoup le mariage des saveurs et des couleurs de la rhubarbe et des fraises... Aussi m'arrive-t-il souvent de servir une tarte à la rhubarbe avec un coulis de fraise (recette p. 220) ou, mieux, avec un jus de fraise et avec les fraises qui ont servi à le préparer : je mets 1 kg de fraises et 100 g de sucre semoule dans un cul-de-poule que je couvre d'un film ; je le place dans un bain-marie, 1 heure à feu doux. J'égoutte les fruits et je les mets au réfrigérateur, ainsi que leur jus, à part, pour 8 heures au moins.

La veille, épluchez les tiges de rhubarbe et coupez-les en tronçons de 2 cm ; mettez-les dans une terrine et poudrez-les de la moitié du sucre semoule. Couvrez la terrine ; laissez macérer 8 heures au moins.

Au bout de ce laps de temps, versez la rhubarbe dans une passoire et laissez-la s'égoutter 1 heure. Pendant ce temps, préparez la tarte : étalez la pâte sur une épaisseur de 2 mm ; garnissez-en un moule antiadhésif de 26 cm de diamètre ou un cercle de même dimension préalablement beurré posé sur une plaque revêtue de papier siliconé.

Piquez la pâte de nombreux coups de fourchette, afin qu'elle ne se boursoufle pas pendant la cuisson. Couvrez-la de papier sulfurisé frangé sur les bords, remplissez-la de légumes secs ou de noyaux d'abricots et faites-la cuire au four à 180 °C, pendant 15 min. Retirez ensuite papier et noyaux ; disposez les tronçons de rhubarbe sur la pâte puis préparez l'appareil aux amandes : battez l'œuf et le sucre dans un bol ; ajoutez-y le lait, la crème, la poudre d'amande et le beurre noisette ; versez ce mélange sur la rhubarbe et glissez la tarte au four pour 15 min ou plus longtemps. De la même manière, vous pourrez préparer une tarte aux myrtilles avec 600 g de myrtilles crues ou une tarte aux mirabelles avec 700 g de fruits dénoyautés. Servez cette tarte froide ou à peine tiède, poudrée du reste de sucre semoule.

RHUBARBE, "RACINE BARBARE" : SEULS
SES PÉTIOLES SONT COMESTIBLES, CRAQUANTS, JUTEUX,
TRÈS ACIDES ; ILS DOIVENT ÊTRE PELÉS AVANT
D'ÊTRE UTILISÉS POUR LA CONFECTION DES TARTES,
COMPOTES ET CONFITURES.

GÂTEAU BASQUE

pour deux gâteaux :

POUR LA PÂTE :
- 250 g de beurre
- 215 g de cassonade
- 125 g de poudre d'amande
- 2 œufs
- 310 g de farine
- 3 g de levure chimique
- 1/4 de cuillerée à café de vanille en poudre
- 4 pincées de fleur de sel

POUR LES MOULES :
- 25 g de beurre mou

POUR LA CRÈME :
- 1/4 de litre de lait

- 20 g de très fine semoule de blé
- 1 gousse de vanille
- 1/2 zeste de citron très finement haché
- 65 g de cassonade
- 1 jaune d'œuf
- 15 g de farine
- 65 g de crème liquide
- 2 cuillerées à café de rhum agricole brun

POUR DORER :
- 1 œuf
- 1/2 jaune d'œuf
- 1 pincée de sel

Cette recette est une légère adaptation de celle de mon ami André Mandion, pâtissier à Anglet. À ceux qui me demandent pourquoi je ne garnis pas mes gâteaux basques de confiture de cerises noires d'Itxassou, je réponds que je préfère la déguster avec les gâteaux.

PRÉPAREZ la pâte la veille : dans le bol d'un robot, mélangez d'abord 10 secondes le beurre et la cassonade, à vitesse moyenne, avec la lame en acier ; ajoutez ensuite le sel, la poudre d'amande et la vanille et, 10 secondes plus tard, la farine et la levure, faites tourner l'appareil environ 20 secondes et ne travaillez plus la pâte ; entourez-la de film et réservez-la au réfrigérateur. Préparez la crème : versez le lait dans une casserole ; fendez la gousse de vanille ; grattez-en l'intérieur avec un couteau ; mettez graines et gousse dans le lait ; ajoutez le zeste de citron ; portez à ébullition ; ajoutez la semoule ; laissez cuire 5 min en tournant avec une spatule.

Dans une terrine, mélangez le jaune, la cassonade et la farine, avant d'y verser le lait et de faire cuire la crème comme une crème pâtissière (recette p. 128). Faites ensuite bouillir la crème liquide et ajoutez-la à la pâtissière, ainsi que le rhum. Laissez refroidir en fouettant de temps en temps pour éviter qu'une croûte ne se forme à la surface de la crème et pour lui assurer une texture bien lisse. Beurrez deux cercles de 3 cm de haut et de 22 cm de diamètre ; posez-les sur une plaque revêtue de papier siliconé. Étalez la pâte sur une épaisseur de 3 mm. Garnissez-en le fond des cercles, puis les bords, en découpant dans la pâte des bandes de 2 cm de haut. Garnissez le centre de crème. Couvrez d'une seconde abaisse, identique à la première. Collez les différents morceaux de pâte en les badigeonnant avec un peu d'eau froide.

Cassez l'œuf dans un bol ; ajoutez le jaune et le sel ; fouettez. Dorez les gâteaux au pinceau et rayez les bords à l'aide des dents d'une fourchette, en suivant les courbes du gâteau.

Faites cuire les gâteaux au four à 180 °C, 40 à 45 min. Laissez-les refroidir sur une grille, dégustez-les deux jours après.

64

MADELEINES

pour 12 madeleines :

- 100 g de farine
- 3 g de levure chimique
(1/2 cuillerée à café)
- 120 g de sucre semoule
- 1/4 de zeste de citron non traité

- 2 œufs
- 100 g de beurre fondu
POUR LES MOULES :
- 40 g de beurre mou

BEURREZ les moules. Mélangez la farine et la levure et tamisez-les ensemble au-dessus d'un bol. Faites fondre le beurre dans une petite casserole et laissez-le refroidir. Cassez les œufs dans une terrine ; ajoutez-y le sucre ; fouettez 5 min pour faire mousser ; ajoutez la farine en pluie et enfin le beurre, en ne cessant de tourner la pâte avec le fouet.

À l'aide d'un petit couteau ou d'un zesteur, prélevez la partie colorée de l'écorce du citron ; hachez-la très finement : si vous râpez le citron directement dans la pâte, le goût sera trop prononcé, voire un peu amer.

Incorporez le zeste à la pâte. Mélangez. Répartissez la pâte dans les moules. Faites cuire les madeleines au four, à 220 °C, 13 à 15 min. Démoulez-les et laissez-les refroidir sur une grille.

« Les madeleines sont toujours meilleures le jour même de leur confection, dès refroidissement. Faites-les cuire au dernier moment, mais notez que vous pouvez préparer la pâte 48 heures, voire 3 jours à l'avance : les madeleines n'en seront que plus belles. »

Pour que les madeleines aient un très bel aspect, doré et très brillant, mélangez à du beurre la même quantité de cire d'abeille désodorisée, faites-les fondre ensemble et badigeonnez-en les moules avec un pinceau...

CRÊPES À LA FARINE DE CHÂTAIGNE

pour 24 crêpes :

- 50 g de farine de blé
- 75 g de farine de châtaigne
- 3 cuillerées à soupe d'huile de germes de maïs
- 30 g de sucre semoule

- 45 g de beurre
- 1 1/2 cuillerée à soupe de whisky
- 3 œufs
- 3,75 dl de lait

FAITES fondre le beurre jusqu'à ce qu'il atteigne la couleur noisette ; laissez-le refroidir. Cassez les œufs dans une terrine et ajoutez le sucre ; fouettez-les ; ajoutez ensuite le whisky, le lait, le beurre, l'huile, la farine ; fouettez avec un fouet ou mixez avec un mixeur plongeant... Vous pouvez aussi préparer cette pâte dans le bol d'un mixeur. Laissez reposer la pâte 6 à 8 heures à température ambiante... Au bout de ce laps de temps, faites cuire les crêpes dans une crêpière antiadhésive et réservez-les au chaud : la pâte étant riche en matières grasses, il n'est, en principe, pas nécessaire de graisser la poêle pour la cuisson... Vous pouvez cependant huiler légèrement la poêle toutes les deux ou trois crêpes.

Ces crêpes sont très bonnes tout simplement poudrées de sucre brun ou roux ou tartinées de crème de marron allégée de chantilly et nappées de sauce au chocolat.

Avec ces crêpes, composez un dessert "tout marron" particulièrement savoureux et facile à réaliser : disposez trois crêpes dans chaque assiette, fourrez-les d'une quenelle de crème très froide – composée de crème de marron mêlée de chantilly – parfumée au whisky. Pliez les crêpes en portefeuille, parsemez-les de marrons au naturel poêlés au beurre avec de la cassonade blonde. Déposez au centre des assiettes une boule de glace à la pistache (recette p. 148).

LE BEURRE

LE beurre a une longue histoire. Il était bien connu des Anciens : Hérodote raconte que les Scythes aveuglaient leurs esclaves afin qu'ils ne soient pas distraits et que rien ne les empêche de battre le lait. Dans la Bible, le beurre apparaît comme un symbole d'amitié, mais l'Antiquité romaine lui préféra l'huile d'olive et ce sont les Normands qui l'introduisirent en Gaule. Au Moyen Âge, la fabrication artisanale du beurre était courante : on faisait du beurre par barattage, lavage et malaxage de la crème du lait. Aujourd'hui, on procède de même, mais la baratte en bois a été remplacée par des machines modernes : une écrémeuse qui sépare la crème du lait par centrifugation ; un pasteurisateur qui élimine par chauffage de courte durée les germes pathogènes éventuellement présents dans la crème ; une cuve de maturation où la crème, sous l'action des levures naturelles, mûrit, épaissit, s'acidifie ; et enfin une baratte qui sépare la matière grasse du babeurre, élimine celui-ci, lave puis malaxe la pâte du beurre pour la rendre homogène et y répartir les fines gouttelettes d'eau : 16 % maximum pour 82 % minimum de matière grasse et 2 % de matière sèche non grasse... Il aura fallu entre 22 et 25 kilos de lait entier pour fabriquer 1 kilo de beurre.

Pierre Hermé utilise chaque semaine 400 kilos de beurre : il se sert du même beurre – un beurre des Charentes provenant de la coopérative laitière de la Viette – pour confectionner croissants, brioches et crèmes au beurre, alors que certains pâtissiers prônent l'usage, notamment pour la pâte feuilletée, d'un beurre "concentré" à 99,8 %

de matière grasse, dont on a retiré par des procédés naturels – fonte douce puis décantation – presque toute l'eau. Pour Pierre Hermé, ce cousin du beurre clarifié des familles et du ghee indien, peut avoir des avantages en cuisine, mais pas en pâtisserie où seuls comptent la fraîcheur du beurre, ses qualités organoleptiques et son "point de fusion", autrement dit sa consistance, variable d'une saison à l'autre, d'une région à l'autre.

Le beurre est la matière grasse qui contient le plus grand nombre de variétés d'acides gras, douze au moins, et jusqu'à quarante-cinq. En hiver, alors que les vaches sont nourries de fourrages secs, le beurre contient plus d'acides gras saturés qui restent solides parfois jusqu'à 45 °C, comme l'acide stéarique. À 20 °C, ce beurre – comme les beurres des Charentes ou les beurres de l'Est – est ferme, parfois cassant – on dit qu'il est "sec" – et ne fond pas trop vite en bouche puisque son point de fusion se situe entre 30 et 32 °C, ce qui est très agréable. En été, alors que les vaches se nourrissent d'herbe, le beurre compte une proportion plus importante d'acides gras insaturés – comme l'acide oléique, liquide à 5 °C. On le dit "gras", et il fond vite en bouche : c'est le cas des beurres normands et bretons. Or la flore qui pousse sous les climats des Charentes et de l'Est n'est pas la même que celle qui est adaptée aux climats humides de la Normandie et de la Bretagne, et la composition des acides gras s'en trouve modifiée... Ainsi, dans les Charentes et dans l'Est, le beurre est-il toute l'année plus dur qu'en Normandie, comme le beurre de la Viette, qui porte aussi la mention "extra-fin", signifiant qu'il est fabriqué avec de la crème pasteurisée non congelée ; ce n'est pas le cas du "beurre cru", issu d'une crème crue, ni du "beurre fin", obtenu à partir d'une crème pasteurisée parfois surgelée. Ces trois dénominations du beurre, obligatoires, sont très utiles.

Pierre Hermé conserve le beurre hors du réfrigérateur – à une température de 20 °C à laquelle il reste stable, garde sa fraîche saveur au goût de noisette, son onctuosité et son parfum délicat – et pas plus de sept jours, car souligne-t-il, « les qualités gustatives du beurre et le parfum inimitable qu'il présente dès sa fabrication s'amenuisent au fil des jours pour disparaître complètement le douzième ».

CRÈME AU BEURRE

pour 750 g de crème :

- 200 g de sucre semoule
- 7,5 cl d'eau
- 3 œufs
- 3 jaunes d'œufs
- 250 g de beurre très mou

VERSEZ l'eau dans une petite casserole ; ajoutez le sucre. Dès l'ébullition, nettoyez les bords de la casserole à l'aide d'un pinceau plat trempé dans l'eau. Laissez cuire ce sirop jusqu'à 120 °C, c'est-à-dire au "petit boulé" : à ce moment de la cuisson, lorsqu'on trempe une pointe de couteau dans le sucre puis dans l'eau froide, on peut obtenir une petite boule en roulant le sucre entre les doigts.

Pendant ce temps, fouettez dans une terrine les jaunes et les œufs entiers jusqu'à ce qu'ils blanchissent, avec un batteur électrique. Dans une seconde terrine, travaillez le beurre avec une spatule pour lui donner une consistance crémeuse.

Lorsque le sirop est prêt, versez-le en mince filet sur les œufs battus en continuant de fouetter au batteur, à petite vitesse. Continuez de fouetter jusqu'à ce que la préparation refroidisse, puis incorporez le beurre sans cesser de fouetter... Lorsque la crème est homogène et lisse, mettez-la au réfrigérateur, jusqu'au moment de l'utiliser : vous pouvez la conserver 3 à 4 jours à 4 °C.

Vous pouvez parfumer cette crème au kirsch, au Cointreau, au Grand Marnier, au rhum brun agricole ou au cognac en ajoutant, dans la crème finie, 1 cuillerée et demie à soupe de ces alcools. Pour la parfumer au café, ajoutez-y 2 cuillerées à café de café soluble délayées dans deux cuillerées à café d'eau, plus 1 cuillerée à café d'extrait naturel de café. Vous obtiendrez une crème au beurre à la pistache en ajoutant à cette préparation 1 cuillerée à soupe de pâte de pistache ; vous pouvez aussi y ajouter de la crème pâtissière, en proportions variables selon les recettes : voir recette du fraisier (p. 74) garni de crème mousseline.

FRAISIER

pour 10 personnes :

- 2 rectangles de génoise (recette p. 110) de 18 x 22 cm
- 1 kg de grosses fraises
- 500 g de crème au beurre à la pistache (recette p. 73)
- 100 g de crème pâtissière (recette p. 128)
- 180 g de sucre semoule
- 2 blancs d'œufs
- 5 cuillerées à soupe de kirsch
- 3 cuillerées à soupe de liqueur de framboise sauvage

POUR DÉCORER LE FRAISIER :
- 6 grosses fraises
- 100 g de nappage translucide (recette p. 195)

De la même manière, vous réaliserez un framboisier en remplaçant les fraises par des framboises.

PRÉPAREZ le fraisier la veille : équeutez les fraises ; épongez-les. Faites bouillir 150 g de sucre avec 1/8 de litre d'eau ; ajoutez-y la liqueur de framboise et 3 cuillerées à soupe de kirsch. Posez un rectangle de génoise sur une plaque revêtue de papier siliconé. Imbibez-le de 1/3 du sirop. Fouettez la crème au beurre pour l'alléger et ajoutez-y la crème pâtissière en tournant avec une spatule ; étalez 1/3 de cette crème sur le biscuit ; posez les fraises dessus, pointe vers le haut, très serrées les unes contre les autres, en les enfonçant dans la crème ; aspergez-les du kirsch restant et poudrez-les de 30 g de sucre semoule ; égalisez les pointes avec un couteau-scie ; couvrez du reste de crème ; lissez le dessus et les côtés avec la spatule. Couvrez du second rectangle de génoise, imbibez-le de sirop restant et préparez la meringue : faites bouillir 100 g de sucre avec 30 g d'eau jusqu'à 118/121 °C. Fouettez les blancs dans la cuve d'un robot équipé du fouet-boule pour les faire mousser : ajoutez-y le sirop en mince filet et continuez de fouetter jusqu'à ce que la meringue soit froide. Étalez-la, en la lissant, avec la spatule, puis dorez-la au chalumeau... À défaut de meringue, que vous pouvez aussi préparer quelques heures seulement avant de servir, couvrez le gâteau d'une fine couche de pâte d'amande à la pistache (recette p. 186). Laissez le fraisier reposer, 8 heures au moins, au réfrigérateur, afin qu'une osmose s'opère entre fruits, crème et biscuit et que le gâteau devienne vraiment savoureux. Avant de le servir, parez-en les bords avec un couteau trempé dans de l'eau chaude. Décorez-le de fraises coupées en éventails et badigeonnées de nappage translucide.

PÂTE À BRIOCHE

pour 1,3 kg de pâte :

- 500 g de farine
- 50 g de sucre semoule
- 7 œufs
- 400 g de beurre
- 12,5 g de levure de boulangerie
- 2 cuillerées à café rases de fleur de sel

METTEZ la farine dans la cuve d'un robot pétrisseur équipé du crochet ; ajoutez-y la levure émiettée et le sucre. Faites tourner l'appareil à grande vitesse puis incorporez quatre œufs, ainsi que le sel ; réglez le robot sur la vitesse moyenne et ajoutez les trois œufs restants, un à un, en attendant que le premier soit totalement incorporé avant d'ajouter le deuxième, puis le troisième. Lorsque la pâte se détache des parois de la cuve, incorporez le beurre, en morceaux, puis continuez de faire tourner l'appareil jusqu'à ce qu'elle se détache à nouveau des parois et du fond de la cuve. Arrêtez le robot ; mettez la pâte dans un grand récipient, couvrez-la d'un film et laissez-la "pointer", c'est-à-dire doubler de volume à température ambiante : cela demandera 2 à 3 heures selon la température, l'idéale se situant aux alentours de 22 °C. Lorsque le "pointage" de la pâte est accompli, "rabattez-la", c'est-à-dire écrasez-la avec le poing pour lui redonner son volume initial. Une fois la pâte rabattue, couvrez-la d'un film et mettez-la au réfrigérateur pour lui faire subir un second "pointage", qui durera 1 heure à 1 h 15 et au terme duquel il faudra à nouveau la "rabattre"... Là, deux solutions se présentent à vous : soit enchaîner les opérations et détailler la pâte, la façonner, la faire lever une dernière fois et la faire cuire ; soit la réserver au réfrigérateur pour le lendemain ou au congélateur pour une date ultérieure.

La pâte à brioche peut être moulée à mi-hauteur dans des moules à cake, de grands ou de petits moules à brioche ou être simplement façonnée en boules ou toutes autres formes traditionnelles ou fantaisistes et doit encore pousser à température ambiante (1/2 fois son volume) avant d'être cuite.

La pâte peut cuire telle quelle ou après avoir été simplement dorée à l'œuf ou, en plus, poudrée de grains de sucre.

La température – 180 à 220 °C – et le temps de cuisson – 10 à 25 min – dépendent de la taille des brioches. Notez que les petites cuiront plus vite que les grandes, et dans un four plus chaud.

- LA BRIOCHE MOUSSELINE se confectionne dans des moules de 13 cm de haut et 12 cm de diamètre, que vous chemiserez d'une double épaisseur de papier sulfurisé débordant largement du moule. Roulez en boule, en rentrant les bords à l'intérieur, 450 g de pâte, puis donnez-lui une forme ovale et glissez-la dans le moule.

Lorsque la pâte a levé, dorez-la et cisaillez-la de quatre coups de ciseaux.

• LA BRIOCHE NANTERRE se confectionne dans des moules à cake de 18 cm de long et 8,5 cm de large. Pour un moule, il faut 325 g de pâte. Divisez chaque pâton en quatre, roulez-les en quatre boules, puis étirez-les en ovales et rangez-les serrés, debout, dans les moules. Lorsque la pâte a levé, dorez-la puis cisaillez séparément chaque quartier en croix.

• LA BRIOCHE À TÊTE : une grosse brioche à tête de 300 g requiert un moule côtelé de 20 cm de diamètre. Façonnez 250 g de pâte en boule, moulez-la, puis creusez le centre pour y glisser une tête façonnée en poire dans un morceau de pâte de 50 g ; incrustez la tête dans le trou, en vous aidant du majeur pour la faire descendre bien droit. Dorez la pâte ; cisaillez la couronne. Les petites brioches à tête requièrent 40 g de pâte chacune.

• LES BRIOCHES AU SUCRE se cuisent en boules de 40 g dans de petits moules à brioche cannelés ; dorez-les à l'œuf, cisaillez-les en croix à l'aide de ciseaux trempés dans l'eau et poudrez-les de sucre-grain n° 10.

• LES BRIOCHES AUX RAISINS se préparent et se cuisent en boules de 45 g, directement sur la plaque ; ajoutez 100 g de raisins blonds à 1 kg de pâte à brioche. Faites-les cuire après les avoir simplement dorées.

PÂTE À BRIOCHE
FEUILLETÉE

pour 1,7 kg de pâte :

- 750 g de farine de gruau
- 50 g de sucre semoule
- 10 g de fleur de sel
- 40 g de poudre de lait entier
- 3,10 dl d'eau très froide, environ
- 3 œufs très froids
- 55 g de levure de boulangerie fraîche, émiettée
- 300 g de beurre froid

METTEZ tous les ingrédients – sauf le beurre –, dans l'ordre, dans le bol d'un robot pétrisseur équipé du crochet. Lorsque la pâte est homogène, cessez de la travailler, entourez-la d'un film et mettez-la au congélateur afin de la refroidir instantanément. Lorsque la pâte est froide, travaillez-la et tourez-la comme la pâte à croissant ; utilisez-la tout de suite pour confectionner des pains aux raisins ou à la cannelle (recette p. 39) ou une brioche en couronne (recette ci-dessous) : elle ne lèvera que lorsque les gâteaux auront été confectionnés.

Voici une recette que j'aime depuis l'enfance, celle de la brioche feuilletée à l'orange : après avoir abaissé la pâte sur 2,5 mm en un rectangle de 60 cm de long, couvrez-la de 175 g de crème d'amande et parsemez-la de petits cubes d'écorces d'orange confites. Roulez-la et mettez-la dans un moule à savarin ; laissez-la lever jusqu'à ce qu'elle atteigne les bords, avant de la dorer et de la faire cuire au four à 180 °C, 30 minutes.

SABLÉS VIENNOIS
pour environ 80 petits gâteaux :

- 225 g de farine
- 190 g de beurre à température ambiante
- 75 g de sucre glace
- 30 g de blanc d'œuf

- 2 pincées de fleur de sel
- 1/4 de cuillerée à café de vanille en poudre ou l'intérieur d'une demi-gousse de vanille fendue et grattée

METTEZ le beurre dans une terrine ; fouettez-le pour le rendre moelleux et léger. Ajoutez-y le sucre, le sel, la vanille, le blanc d'œuf et enfin la farine. Dès que la farine est incorporée, cessez de travailler la pâte. Faites-la glisser dans une poche munie d'une douille cannelée moyenne.

Sur une plaque revêtue de papier siliconé, dressez la pâte en "W". Faites cuire les petits gâteaux en plusieurs fois, au four chaud, à 180 °C, pendant 12 à 15 min. Laissez-les refroidir sur une grille et, si vous le voulez, poudrez-les d'un voile de sucre glace. Réservez-les dans une boîte en métal où vous les conserverez plusieurs jours.

« Une fois refroidis et sans les avoir poudrés de sucre glace, trempez à demi ces petits sablés dans du chocolat noir fondu et laissez-les refroidir sur un papier siliconé. »

Cette pâte, très croustillante et finement sablée, ne doit pas être pétrie après l'ajout de la farine pour garder ces qualités. Vous pouvez augmenter la quantité de vanille ou la parfumer, à votre guise, de cannelle, de gingembre ou d'un mélange d'épices de votre choix...

CAKE AUX FRUITS CONFITS

pour 1 cake de 28 cm :

- 200 g de beurre mou
- 150 g de sucre semoule
- 4 œufs
- 100 g de cerises confites
- 100 g de raisins de Smyrne
- 75 g de raisins de Corinthe
- 65 g d'abricots confits en cubes de 1 cm
- 125 g de melon confit en cubes de 1 cm
- 65 g de prunes confites en cubes de 1 cm
- 300 g de farine
- 1/2 sachet de levure chimique
- 2,5 dl de rhum agricole brun
- 2 cuillerées à soupe de nappage abricot

Pour ce cake, vous pouvez utiliser une seule sorte ou plusieurs variétés différentes de fruits confits, que je vous conseille d'acheter entiers et que vous couperez au couteau ou avec un appareil à frites; aux abricots, prunes et melons vous pourrez ajouter des poires et des cédrats. Il ne faut pas mettre les cerises dans la pâte car, lorsqu'elles se trouvent à la surface du gâteau, elles se dessèchent.

PRÉPAREZ le cake quatre jours au moins avant de le déguster. La veille, lavez les raisins de Smyrne et de Corinthe, égouttez-les, mettez-les dans un bol et couvrez-les de 1,5 dl de rhum ; laissez-les macérer. Avant de préparer le cake, tamisez ensemble la farine et la levure. Beurrez un moule de 28 cm de long ; mettez le beurre restant dans la cuve d'un robot pétrisseur équipé de la feuille ; ajoutez le sucre ; fouettez 2 min puis ajoutez les œufs un à un et enfin la farine ; lorsque le mélange est homogène, détachez la cuve du robot et incorporez à la pâte, en la soulevant avec une corne : les raisins égouttés et le rhum de macération, le melon, les prunes et les abricots confits. Versez la pâte dans le moule ; glissez-le au four à 250 °C, aussitôt baissé à 180 °C. Lorsqu'une croûte blonde se forme à la surface du cake, fendez-la tout du long avec une corne passée dans du beurre fondu, afin que le gâteau se développe harmonieusement. La cuisson du cake dure environ 1 h 10. Vérifiez qu'il est cuit en enfonçant au centre la lame d'un couteau qui doit en ressortir sèche.

À sa sortie du four, laissez le cake tiédir 10 min dans son moule puis démoulez-le, mettez-le sur une grille, aspergez-le du rhum restant, si vous le souhaitez. Laissez-le tiédir puis badigeonnez-le de nappage abricot fondu et garnissez-le de cerises confites qui, ainsi, colleront au gâteau. Lorsque le cake est refroidi, enveloppez-le de film en attendant de le déguster : vous constaterez que le cake est délicieux au bout d'une semaine et qu'il reste très bon encore une semaine, puis il se dessèche et devient moins savoureux.

BOULES DE BERLIN
pour 25 beignets :

- 250 g de farine
- 11 g de fleur de sel
- 65 g de sucre semoule
- 5 jaunes d'œufs
- 60 g de levure de boulangerie
- 3 cuillerées à soupe de lait
- 65 g de beurre

POUR LE LEVAIN :
- 275 g de farine
- 5 g de levure de boulangerie
- 1,75 dl d'eau à 20 °C

POUR LA CUISSON :
- 1 litre d'huile neutre (arachide, pépins de raisins ou germes de maïs)

PRÉPAREZ d'abord le levain : dans une terrine, émiettez la levure ; ajoutez-y l'eau puis incorporez la farine en mélangeant pour obtenir une pâte homogène et très molle. Couvrez la terrine d'un film ; laissez le levain pousser 1h 30 à 2 h, à température ambiante : il est prêt lorsque de petites bulles se forment en surface... Vous pouvez préparer la pâte.

Dans la cuve d'un robot pétrisseur équipé du crochet, mettez le levain et tous les ingrédients de la pâte, sauf le beurre. Faites tourner l'appareil 20 min à vitesse moyenne, jusqu'à ce que la pâte ait pris corps et se détache des parois de l'ustensile ; ajoutez alors le beurre, en petits cubes ; laissez-la "corser" de nouveau (reprendre sa consistance), puis mettez-la dans un cul-de-poule. Laissez la pâte "pointer" (doubler de volume), puis écrasez-la pour lui redonner son volume initial et divisez-la en morceaux de 40 g (vous pouvez aussi réaliser de petits beignets de 20 g seulement). Pétrissez à la main ces morceaux de pâte pour leur donner une forme bien ronde et rangez ces boules à 5 cm les unes des autres, sur un linge très légèrement humide, poudré de farine.

Si l'atmosphère est sèche, laissez les boules de pâte lever sans les couvrir, jusqu'à ce qu'elles doublent de volume... Sinon, couvrez-les d'un film.

Lorsque les boules de pâte ont levé, il faut les faire cuire aussitôt : plongez-les dans l'huile chauffée à 160 °C. Les beignets cuisent en 10 à 12 min, et il faut les retourner à mi-cuisson. Égouttez-les sur du papier absorbant. Dégustez-les nature, enrobés de sucre semoule parfumé à la cannelle (15 g de cannelle en poudre pour 1 kg de sucre) ou fourrés de crème pâtissière, de confiture de quetsche ou de framboise-pépins (recette p. 221).

Cette recette a été mise au point par mon père Georges Hermé, boulanger-pâtissier à Colmar, qui garnit ces beignets d'une confiture de quetsches d'Alsace, spécialité de ma mère : elle laisse macérer 24 heures 1 kg de fruits dénoyautés avec 500 g de sucre, les égoutte, en fait cuire le jus 1/4 d'heure puis ajoute les quetsches qui cuisent à leur tour 1/4 d'heure. Avant d'en garnir les boules de Berlin à la poche munie d'une douille lisse moyenne, à raison de 40 g par beignet, elle mixe la confiture... C'est délicieux, mais, les quetsches d'Alsace étant rares, je garnis le plus souvent mes beignets de framboise-pépins (recette p. 221).

BABA AU RHUM

pour 8 personnes :

- 250 g de farine type 45
- 25 g de miel d'acacia
- 100 g de beurre à température ambiante
- 25 g de levure de boulangerie
- 8 g de fleur de sel
- 1/2 zeste de citron très finement haché
- 1 cuillerée à café de vanille en poudre
- 8 œufs

POUR LE SIROP :
- 1 litre d'eau

- 500 g de sucre semoule
- 1/2 zeste de citron
- 1/2 zeste d'orange
- 1 dl de rhum agricole brun
- 1 gousse de vanille de Tahiti
- 50 g de purée d'ananas

POUR LES MOULES :
- 25 g de beurre

POUR LE NAPPAGE :
- 100 g de nappage abricot

DANS la cuve d'un robot pétrisseur équipé de la feuille, mettez la farine, la vanille, le miel, la levure émiettée, le zeste de citron, trois œufs ; faites tourner l'appareil à vitesse moyenne jusqu'à ce que la pâte se détache des bords de la cuve ; ajoutez trois œufs ; travaillez jusqu'à ce que la pâte se détache à nouveau des bords de la cuve ; ajoutez les deux œufs restants ; travaillez 10 min avant d'ajouter le beurre en petits cubes, sans cesser de faire tourner l'appareil. Lorsque la pâte – qui est très liquide – est homogène, laissez-la lever 1/2 heure à température ambiante.

Beurrez un grand moule en couronne de 26 cm, 2 moyens ou plusieurs petits ; glissez la pâte dans une poche et remplissez le – ou les – moules à demi. Laissez lever la pâte jusqu'à ce qu'elle atteigne les bords ; faites cuire les babas au four, à 200 °C, pendant 15 à 30 min, selon la taille. Une fois démoulés, les gâteaux doivent rassir un à deux jours afin de mieux s'imbiber de sirop.

Faites bouillir l'eau, le sucre, les zestes, la gousse de vanille, fendue et grattée, avec ses graines et la purée d'ananas ; ajoutez le rhum. Laissez tiédir à 60 °C. Trempez les petits babas dans ce sirop, arrosez les grands dix fois de suite. Pour s'assurer qu'ils sont bien imbibés, sondez-les avec un couteau dont la lame ne doit rencontrer aucune résistance en s'enfonçant dans le gâteau... Sinon, continuez de les arroser puis aspergez-les de rhum et enfin, badigeonnez-les au pinceau de nappage abricot bouillant.

Garnissez les babas de chantilly nature, à la cannelle ou au chocolat (recette p. 124) que vous piquerez, en saison, de fruits rouges entiers, ou de fruits exotiques en cubes.

KUGELHOPF

pour 3 gâteaux de 500 g chacun :

POUR LE LEVAIN :
- 125 g de farine
- 8 g de levure de boulangerie
- 1/2 litre de lait

POUR LA PÂTE :
- 375 g de farine
- 9 g de fleur de sel
- 110 g de sucre semoule
- 4 jaunes d'œufs
- 1/8 de litre de lait

- 38 g de levure de boulangerie
- 125 g de beurre
- 220 g de raisins blonds (sultanines)
- 2 cuillerées à soupe de rhum ambré agricole

POUR LES MOULES ET LA FINITION :
- 100 g de beurre
- sucre glace

J'aime beaucoup ces gâteaux depuis mon enfance – cette recette a d'ailleurs été mise au point par mon père – que l'on servait grillés lorsqu'ils étaient rassis. Aujourd'hui, j'y apporte une note personnelle : après avoir immergé très rapidement les kugelhopfs dans un sirop aux amandes et à la fleur d'oranger, je les poudre de sucre semoule, et ils s'enrobent d'une petite croûte très savoureuse.

L A veille, mettez les raisins à tremper dans le rhum. Quatre à cinq heures avant de faire la pâte, préparez le levain : mélangez tous les éléments dans un cul-de-poule ; couvrez-le d'un torchon mouillé et mettez-le au réfrigérateur, pendant 4 à 5 heures, jusqu'à ce que de petites bulles apparaissent en surface. Préparez alors la pâte : dans la cuve d'un robot équipé du crochet, mettez le levain, la farine, le sel, le sucre, la levure de boulangerie délayée dans le lait, les jaunes d'œufs. Faites tourner l'appareil à vitesse moyenne, jusqu'à ce que la pâte se détache des parois de la cuve ; ajoutez le beurre ; continuez de la travailler jusqu'à ce qu'elle se détache à nouveau de la cuve puis cessez de la travailler ; ajoutez-y enfin les raisins macérés puis couvrez le récipient. Laissez "pointer" la pâte (doubler de volume), puis versez-la sur une table farinée et divisez-la en trois. Écrasez chaque morceau de pâte, rabattez-en les bords vers le centre pour former une boule que vous faites rouler sur le plan de travail en la serrant entre les paumes de vos mains afin qu'à la pousse elle se développe régulièrement. Creusez un trou au centre de chaque boule en écartant la pâte avec les doigts farinés. Beurrez 3 moules de 23 cm de diamètre ; garnissez-les de pâte. Laissez lever 1 h 30 environ : si le lieu est sec, couvrez les moules d'un linge humide.

Faites cuire les gâteaux au four à 200 °C, 35 min. Avec cette quantité de pâte, vous pouvez confectionner 4 gâteaux de 20 cm, 5 de 15 cm, 24 de 10 cm, qui cuiront moins longtemps. Démoulez les kugelhopfs encore chauds et badigeonnez-les de beurre fondu, afin qu'ils sèchent moins vite. Une fois refroidis, poudrez-les de sucre glace et enveloppez-les de film. Dégustez-les au plus tôt...

Traditionnellement, on dépose une amande entière mondée à la base de chaque cannelure du moule. Utilisez toujours des moules en terre cuite qui donnent les meilleurs résultats et un goût particulier aux kugelhopfs. Avant la première utilisation, beurrez-les, faites-les brûler au four chaud pour les culotter.

CORDIFORME, NOIRE, PULPEUSE, TRÈS SUCRÉE,
LA TARDIVE DE VIGNOLA, DERNIÈRE CERISE DE LA SAISON,
MÛRIT EN JUILLET DANS LA VALLÉE DU RHÔNE.
SA CHAIR A UN DÉLICIEUX GOÛT DE NOYAU.

PARIS-BREST

pour 6 personnes :

• 300 g de pâte à choux
(recette p. 135)
• 50 g de sucre-grain n° 10
• 50 g d'amandes hachées
• 25 g de beurre mou
• sucre glace

POUR LA CRÈME :
• 300 g de crème au beurre
(recette p. 73)
• 90 g de praliné noisette ou amande
en pâte
• 225 g de crème pâtissière
(recette p. 128)

SUR une plaque revêtue de papier siliconé, posez un cercle de 22 cm ; beurrez-en l'intérieur.

Faites glisser la pâte à choux dans une poche munie d'une douille cannelée n° 12 ; déposez une couronne de pâte à l'intérieur du cercle, une deuxième couronne contre la première, et une troisième à cheval entre les deux. Poudrez de sucre-grain et d'amandes hachées.

Sur une seconde plaque revêtue de papier siliconé, formez une quatrième couronne de diamètre inférieur à la triple couronne. Faites cuire au four à 180 °C, pendant 40 à 45 min, en entrouvrant la porte du four après 15 min, afin que la pâte sèche bien. Laissez-la refroidir sur une grille.

Pendant la cuisson de la pâte, préparez la crème : mettez la crème au beurre dans une terrine ; fouettez-la pour l'alléger ; ajoutez-y le praliné, en mélangeant au fouet, puis la crème pâtissière.

Lorsque la pâte a refroidi, coupez-la en deux, horizontalement, à l'aide d'un couteau-scie. Faites glisser la crème dans une poche munie d'une grosse douille cannelée habituellement réservée à la chantilly. Garnissez le fond de la pâte d'une petite couche de crème, posez la couronne cuite à part dessus, puis dessinez avec la crème une sorte de tresse dépassant un peu les bords de la pâte. Poudrez la partie supérieure de sucre glace et posez-la sur la crème. Le paris-brest peut être dégusté aussitôt ou réservé au réfrigérateur, mais il faut l'en retirer une heure au moins avant de le servir.

Vous pouvez ajouter dans la crème 80 g de noisettes caramélisées (recette p. 213) concassées. La petite couronne de pâte supplémentaire incrustée dans la crème permet, en créant un petit creux au centre de la masse, de l'alléger considérablement. Elle peut être remplacée par un chapelet de petits choux de 1,5 à 2 cm de diamètre, posés sur la plaque avec une poche munie de la douille n° 8 et qui, eux, ne cuiront que 20 minutes.

92

LE SEL

U N grain de sel en plus ou en moins suffit à bouleverser l'équilibre gustatif d'un mets : la perfection gastronomique est liée à l'art de doser le sel, à la manière de l'utiliser au bon moment dans l'élaboration d'un plat.

En pâtisserie, quelques grains de sel suffisent à créer l'équilibre gustatif d'un dessert, et, si dans l'élaboration des douceurs le sel est l'ingrédient le plus discret, le plus léger, le plus parcimonieux, son rôle n'en est pas moins essentiel.

Mêlés d'un grain de sel, le sucre caresse le palais sans le saturer, le beurre apprivoise les papilles en excitant l'appétit, la farine, mélangée à des liquides, se met à vivre dans des pâtes qui lèvent vite et bien, qui exhalent un chaud parfum de céréales et qui, une fois cuites, en restituent la saveur, sublimée par tous les ingrédients venus s'y ajouter. Caramels mous, kouing-aman, brioches et autres délices sucrés, beurrés, crémés séduisent avant tout par leur goût salé. Il faut ajouter du sel dans la pâte à tarte, qu'elle soit brisée ou sablée, dans la pâte feuilletée, les pâtes levées, la pâte à biscuit et à cake et, s'il est inutile d'en mettre dans la crème anglaise, la chantilly et la mousse au chocolat, c'est que le lait, la crème et le chocolat en contiennent déjà.

Entre le sel gemme et le sel marin, Pierre Hermé a choisi le sel marin, celui du "Pays blanc" de Guérande, un produit naturel récolté de juin à septembre, de la même manière que dans l'Antiquité, et sans autre outil que le las de bois dont le paludier se sert pour retirer de l'œillet les gros cristaux gris formés par le soleil et le vent, dont la couleur vient de l'argile qui constitue le sol de l'œillet.

Sur le plan gastronomique comme sur le plan diététique, ce sel est précieux : s'il n'est ni piquant ni amer et s'il est bon pour la santé, c'est qu'il n'est pas fait de chlorure de sodium pur. Contrairement aux sels gemmes et aux sels marins reconstitués, il n'en contient que 34 %, le reste étant du magnésium, du calcium, du potassium, des oligo-éléments et de l'eau. Ce n'est pourtant pas ce sel qui a retenu l'attention de Pierre Hermé, mais un autre sel de Guérande, plus précieux encore, plus rare, plus subtil, aux petits cristaux blancs, fins et légers : la "fleur de sel"… Quand souffle le vent d'est – cela est rare et ne se produit pas chaque année –, une très fine pellicule de cristaux, blanche et brillante, se forme à la surface de l'eau de l'œillet. On doit aussitôt récolter, à fleur d'eau, à la cuillère, avec patience et doigté, ce cadeau du vent : un sel d'exception, au parfum de violette, au goût délicat, particulièrement soluble et riche en oligo-éléments.

Malgré leur taux élevé d'humidité, les petits cristaux de la fleur de sel ne fondent pas facilement lorsqu'on les ajoute à des pâtes sèches ou riches en beurre comme les pâtes à tartes ou les pâtes feuilletées.

Ainsi, lorsqu'on mord dans ces pâtes, qu'elles soient encore chaudes, tièdes ou froides, retrouve-t-on sous le palais ces petits grains qui le réveillent, tels des contre-points vivifiants dans la douce symphonie des saveurs.

KUMQUAT : ORANGE NAINE, TENDRE ET
SUCRÉE, QUI SE CROQUE AVEC LA PEAU. EXQUISE ENROBÉE
DE SUCRE CUIT.

CARAMELS MOUS
AUX AMANDES
ET AU CHOCOLAT

pour 2 kg de caramels :

POUR LES CARAMELS
AUX AMANDES :
- 380 g de sucre semoule
- 350 g de glucose
- 2 gousses de vanille de Tahiti ou
  2 zestes de citron très finement
hachés, ou les deux
- 30 g de beurre demi-sel
- 1/2 litre de crème liquide

- 50 g d'amandes hachées
POUR LES CARAMELS
AU CHOCOLAT :
- 280 g de sucre semoule
- 280 g de glucose
- 40 g de beurre demi-sel
- 4,4 dl de crème liquide
- 120 g de chocolat "Guanaja",
haché ou râpé gros

PRÉPAREZ les caramels aux amandes : faites griller les amandes sur une plaque, au four, à 170 °C, pendant 12 à 15 min. Fendez les gousses de vanille ; grattez-les avec un petit couteau ; récupérez les petites graines noires aromatiques.

Faites bouillir la crème. Dans une casserole, faites fondre le glucose à feu doux, ajoutez-y le sucre, les graines de vanille ou les zestes de citron, ou les deux. Laissez caraméliser jusqu'à la couleur ambrée foncée ; ajoutez le beurre, en tournant avec une spatule, puis la crème, sans cesser de tourner ; laissez cuire jusqu'à 116/117 °C, puis incorporez les amandes encore chaudes. Versez la préparation dans un cadre rectangulaire ou un cercle à entremets posé sur une plaque revêtue de papier siliconé. Laissez refroidir complètement le caramel avant de le découper en carrés, en rectangles ou en barres que vous envelopperez dans de la Cellophane.

Pour les caramels au chocolat, procédez de la même manière ; ajoutez le chocolat en dernier, après la crème, et recuisez la préparation jusqu'à 115/116 °C.

Vous pouvez conserver ces caramels plusieurs jours à l'abri de l'humidité, dans un endroit frais et sec.

L'ŒUF

L'ŒUF est un symbole de vie, un maillon d'infini recelant l'éternel mystère de l'œuf qui fait la poule qui fait l'œuf qui fait la poule… Que seraient, sans lui, ces recettes d'enfance qu'on aime toute la vie – œufs à la neige et œufs au lait, flans, îles flottantes, soufflés légers comme des plumes si fascinants à voir pousser, aussi mystérieux que l'œuf lui-même – et toutes les autres, celles dont il n'est pas la vedette mais dans lesquelles il tient le rôle clé en matière de texture, de parfum et de goût ?… L'œil, le nez, le palais d'un gourmand – même en herbe – font instantanément la différence entre une brioche aux œufs, aérienne, finement alvéolée et toute dorée, et celle qui ne l'est pas ; entre une crème anglaise très blonde, onctueuse et dense, riche en jaunes d'œufs et celle qui l'est moins, entre un vrai dorage à l'œuf qui habille pâtisseries et viennoiseries d'une intense, lisse et odorante laque d'ambre, et un faux.

L'œuf est l'âme des meringues, des macarons, des biscuits, des crèmes et des mousses, tantôt blanc, tantôt jaune, tantôt jaune et blanc. Celui qui pour la première fois a séparé le blanc du jaune pour monter le blanc en neige et l'utiliser séparément dans une préparation fut sans doute le premier pâtissier de l'Histoire, l'inventeur des îles flottantes : les jaunes devenus lac sur lequel flottent des rochers de neige – qui ont fait éclore des milliers de recettes, fait naître des millions de vocations. Émerveillés *par la transformation des blancs en neige et des jaunes en crème, tous les enfants, un jour ou l'autre, ont voulu devenir pâtissiers, comme Pierre Hermé.*

Pierre Hermé est très attentif à l'origine, au calibre et à la fraîcheur des œufs. Comme il est très difficile de savoir si un œuf est bon et s'il est frais d'un simple coup d'œil, il fait confiance aux fermiers qui lui fournissent chaque jour des milliers d'œufs de 60 grammes. Dans la catégorie des œufs fermiers qu'il utilise, des variations pouvant toujours intervenir et fausser les recettes – ce qui est facile lorsqu'on utilise plusieurs dizaines d'œufs d'un coup –, il pèse toujours les œufs une fois cassés, entiers ou séparés. Lorsqu'on fait de la pâtisserie chez soi, tout est beaucoup plus simple : il suffit d'acheter des œufs fermiers portant la date de ponte sur la coquille et de se souvenir que dans un œuf de 60 grammes, le blanc pèse 30 grammes, le jaune 20 grammes, la coquille 10 grammes.

Si l'on veut vérifier la fraîcheur d'un œuf en coquille, on peut le soumettre au test de flottaison : un œuf très récemment pondu tombe au fond d'un récipient rempli d'eau et y reste couché ; la poche d'air qu'il contient dans son bout arrondi est très petite, l'œuf est très plein et très lourd. Après une semaine, la poche d'air s'agrandit : l'œuf devient plus léger et son bout arrondi se soulève. Un œuf de plus de deux semaines tient debout dans l'eau. Plus tard, il flotte : son humidité s'est en partie évaporée à travers la coquille poreuse – souvenez-vous qu'il est possible de faire des œufs brouillés à la truffe sans truffe –, il faut le jeter... Lorsqu'on casse un œuf très frais dans une assiette, le jaune est très bombé et le blanc compact l'entoure de toutes parts en reproduisant l'ovale parfait de la coquille ; plus tard, le blanc s'étale, et le jaune s'aplatit ; lorsque le blanc, devenu liquide, découvre le jaune devenu plat, l'œuf est trop vieux pour être consommé.

À propos de fraîcheur, on entend dire pourtant des choses contradictoires. Pierre Hermé tranche : « Lorsqu'on utilise des blancs qui doivent être consommés crus dans une mousse au chocolat, par exemple, ils doivent être ultra frais. Mais, pour faire des macarons, des meringues, des biscuits, il vaut mieux utiliser des blancs séparés des jaunes depuis trois ou quatre jours et conservés au réfrigérateur dans un bocal fermé :

il n'y a aucun risque, car ils sont destinés à être cuits... Lorsqu'on bat en neige des blancs très frais, d'abord ils montent bien puis ils donnent l'impression de se décomposer : on dit qu'ils "grainent". Il faut alors les rattraper en y ajoutant du sucre, mais ils restent fragiles et retombent facilement à la cuisson. En revanche, des blancs "cassés" par un séjour au réfrigérateur – voire au congélateur – gonflent moins mais restent lisses et ne s'étalent pas pendant la cuisson. »

Incorporer des blancs en neige dans une pâte est une opération délicate : les mélanger d'un coup à la préparation les fait retomber aussitôt... Il faut en ajouter un quart environ dans la masse pâteuse pour la détendre, puis y incorporer le reste, non pas en la tournant, mais en la soulevant avec une spatule.

Les jaunes, quant à eux, doivent toujours être très frais et utilisés dès leur séparation d'avec les blancs. « La quantité de jaunes détermine la texture et la richesse d'une préparation, insiste Pierre Hermé. Pour une crème anglaise classique, j'en utilise dix à douze par litre de lait : au-delà, c'est trop riche ; pourtant, dans une crème anglaise destinée à la confection d'une crème au beurre, il en faut trente-deux... mais ce qui donne un bon goût à cette préparation essentielle dans la pâtisserie, ce n'est pas seulement la qualité et la quantité des œufs, c'est aussi la cuisson et la maturation. Contrairement à ce qu'on affirme généralement, une crème anglaise ne doit pas être préparée à la dernière minute, mais vingt-quatre heures à l'avance ; cuite à 85 °C, ni plus ni moins ; et ensuite non pas refroidie aussitôt, mais pochée. Une fois cuite à 85 °C, la crème anglaise atteint très vite 86 °C, la température idéale de cuisson ; après quoi, il faut la laisser pocher 5 minutes : lorsqu'on la refroidit aussitôt, ce qui se fait très couramment, la crème est beaucoup moins bonne, il suffit d'essayer pour le constater. Il faut ensuite 24 heures à la crème pour devenir délicieuse, un temps de maturation nécessaire qui crée une osmose entre le goût des œufs et celui des ferments lactiques du lait frais entier qu'on aura utilisé : un lait stérilisé ne permettra pas ce résultat, car il a perdu les ferments nécessaires au goût définitif. Agiter de temps en temps la crème est très utile au développement de ces ferments, donc de ce bon goût. C'est contraire à toutes les idées reçues très répandues, mais c'est pourtant comme cela qu'il faut faire. »

MERINGUE FRANÇAISE

pour 750 g de meringue :

- 250 g de blancs d'œufs
- 500 g de sucre semoule
- les graines de 2 à 3 gousses de

vanille de Tahiti fendues et grattées
ou 1 cuillerée à café d'extrait naturel
de vanille

UTILISEZ de préférence des blancs séparés des jaunes depuis 2 ou 3 jours, conservés à température ambiante : devenus plus liquides, les blancs montent mieux et ne retombent pas facilement.

Versez les blancs dans la cuve d'un robot équipé du fouet-boule ; fouettez-les à vitesse moyenne, jusqu'à ce qu'ils doublent de volume, puis incorporez-y la moitié du sucre, les graines de vanille ou l'extrait naturel, et continuez de les fouetter jusqu'à ce qu'ils deviennent très fermes, très lisses, très brillants.

Détachez la cuve du robot et incorporez aux blancs le reste du sucre, en pluie, en les soulevant avec une spatule et en les travaillant le moins possible.

Cette préparation sert à confectionner des meringues de toutes sortes, des plus petites appelées "doigts de fée" aux grosses coques qui accompagnent si bien les glaces, en passant par les disques servant de base à des entremets et des gâteaux.

Pour les petites coques, utilisez des douilles n° 14 ou 16, et dressez sur des plaques revêtues de papier siliconé des bâtonnets de 8 cm de long... Pour les disques, utilisez une douille cannelée n° 9 et formez des spirales.

Il est inutile de faire sécher les meringues avant de les faire cuire. C'est à la température de 120 °C qu'elles cuisent le mieux, en caramélisant légèrement, en 1 h 30 à 2 heures, puis à 80 °C, toute une nuit ou huit heures au moins. Pendant la cuisson, maintenez la porte du four entrouverte pour éviter que l'humidité ne s'accumule dans le four, faisant gonfler les meringues pour les faire retomber aussitôt.

Si vous voulez faire "perler" les meringues, c'est-à-dire les voir se couvrir de petites perles blondes, agréables à l'œil et au palais, poudrez-les légèrement de sucre glace en le tamisant, puis attendez 1/4 d'heure qu'une légère croûte se forme, avant de les poudrer une seconde fois et de les mettre à cuire aussitôt.

Les meringues se conservent bien dans une boîte en métal.

Traditionnellement, la meringue française se prépare avec deux sortes de sucre, moitié sucre semoule, moitié sucre glace. Je préfère n'utiliser que du sucre semoule, qui assure aux meringues une saveur légèrement caramélisée, une texture tout à la fois croquante et moelleuse et ne leur apporte jamais ce désagréable arrière-goût sec et plâtreux dont je rends le sucre glace responsable... d'autant que celui-ci, la plupart du temps, est additionné d'amidon, ce qui aggrave encore le problème.

105

CRÈME BRÛLÉE

pour 6 personnes :

- 1/2 litre de lait
- 1/2 litre de crème liquide
- 5 gousses de vanille de Tahiti
- 180 g de sucre semoule
- 9 jaunes d'œufs
- 100 g de cassonade brune

« Vous pouvez faire caraméliser les crèmes sous le gril du four à condition que celui-ci soit assez puissant pour caraméliser le sucre sans chauffer ni cuire la crème. Vous trouverez dans le commerce des petits appareils électriques assez performants, mais qui ne donnent pas d'aussi bons résultats gustatifs que le chalumeau. »

Pour confectionner une crème au café, remplacez la vanille par 30 g de café moulu que vous laisserez infuser dans le lait. Pour une crème à la pistache, ajoutez à cette crème 80 g de pâte de pistache. Ne la caramélisez pas, mais, juste avant de la servir, couvrez-la d'une fine couche de crème au chocolat (recette p. 209).

FENDEZ les gousses de vanille ; grattez-les avec un petit couteau ; mettez les graines et les gousses dans une casserole ; ajoutez le lait et la crème ; portez à ébullition puis éteignez le feu et laissez infuser 30 à 45 min.

Mélangez les jaunes et le sucre avec une spatule dans une terrine ; versez le mélange lait-crème vanillé en le filtrant, en délayant avec une spatule. Répartissez la préparation, en la filtrant, dans six plats à œufs en porcelaine à feu puis glissez-les au four à 100 °C, pour 45 min : au bout de ce laps de temps, les crèmes doivent être prises. Laissez-les refroidir à température ambiante puis réservez-les au réfrigérateur 3 heures au moins.

Au moment de servir, épongez le dessus des crèmes avec un papier absorbant et poudrez-les de cassonade. Caramélisez-les légèrement (pour éviter que le sucre ne devienne amer) à l'aide d'un chalumeau, et servez-les aussitôt : le contraste entre la crème très froide et sa surface caramélisée encore tiède est très agréable.

FLEUR DE
FRAISES DES BOIS

pour 8 personnes :

• 380 g de biscuit à la cuillère
(recette p. 111)
• 1 bande de biscuit Joconde
(recette p. 187) de 3 cm de large
• 350 g de fraises des bois
• 150 g de groseilles rouges égrappées
• 200 g de jus de fraise
(recette p. 62)
POUR LA MERINGUE ITALIENNE :
• 60 g de blancs d'œufs
• 90 g de sucre semoule

POUR LA MOUSSE DE
MASCARPONE :
• 250 g de mascarpone (fromage
italien très onctueux et riche en
crème)
• 1 1/2 cuillerée à soupe de lait frais
entier
• 2 g de gélatine en feuilles
• 1 blanc d'œuf
• 50 g de sucre semoule
• 2,25 dl de crème liquide

PLACEZ un cercle de 22 cm et de 3 cm de haut sur une plaque revêtue de papier siliconé. Tapissez le bord du cercle de biscuit Joconde. Découpez dans le biscuit à la cuillère deux disques de 21 cm ; mettez-en un au fond du cercle ; imbibez-le de la moitié du jus de fraise.

Préparez la mousse de mascarpone. Faites tremper la gélatine dans de l'eau froide 5 min pour la ramollir. Faites bouillir le sucre avec 1 cuillerée à soupe d'eau. Dans un robot équipé du fouet-boule, battez les blancs en neige ; ajoutez-y le sirop, en mince filet ; continuez de les fouetter jusqu'à ce qu'ils soient froids.

Pendant ce temps, ajoutez le lait au mascarpone ; faites bouillir 30 g de crème ; hors du feu, ajoutez-y la gélatine rincée et égouttée et versez-la dans le mascarpone, en tournant avec un fouet. Incorporez la meringue au mélange mascarpone-crème, en soulevant délicatement avec une corne. Fouettez la crème restante et incorporez-la à la préparation. Versez la moitié de cette mousse dans le cercle ; répartissez la moitié des fraises et les 2/3 des groseilles sur la mousse ; recouvrez du reste de mousse ; lissez-la ; posez le second disque de biscuit ; imbibez-le de jus de fraise restant et mettez l'entremets 1 heure au congélateur ou 8 heures au réfrigérateur avant de le décorer puis de le servir.

Au moment de servir, ou une à deux heures avant, préparez la meringue italienne : battez les blancs en neige ; faites bouillir le sucre avec 1 cuillerée à soupe d'eau ; versez ce sirop chaud sur les blancs, sans cesser de les fouetter jusqu'à ce qu'ils soient froids. Étalez cette meringue sur toute la surface de l'entremets. Faites-la légèrement dorer à l'aide d'un chalumeau. Décorez des fraises des bois restantes et de groseilles. Réservez la fleur de fraises des bois au réfrigérateur jusqu'au moment de servir.

PÂTE À GÉNOISE

pour 750 g de pâte :

- 6 œufs
- 200 g de sucre semoule
- 200 g de farine
- 60 g de beurre

TAMISEZ la farine ; faites fondre le beurre dans une petite casserole (en le gardant crémeux) et laissez-le refroidir. Cassez les œufs dans un cul-de-poule ; ajoutez-y le sucre en pluie en fouettant. Mettez le cul-de-poule dans un bain-marie frémissant et fouettez le mélange jusqu'à ce qu'il atteigne 55/60 °C, en devenant blanc et mousseux. Retirez alors la préparation du bain-marie, fouettez-la jusqu'à refroidissement, incorporez-en deux cuillerées dans le beurre tiède, ajoutez la farine en pluie, en soulevant la préparation avec une spatule, et enfin le contenu de la casserole.

Avec cette quantité de pâte, vous réaliserez deux génoises que vous ferez cuire dans les traditionnels moules, beurrés et farinés, 30 min au four, à 180 °C, ou sur une plaque revêtue de papier siliconé 10 à 12 min, à 220 °C, pour la découper ensuite en bandes ou en cercles à l'aide d'emporte-pièce.

Cette génoise, très légère, est idéale pour la préparation de toutes sortes d'entremets. Vous conserverez la pâte cuite, découpée et entourée d'un film, au congélateur.

PÂTE À BISCUIT
À LA CUILLÈRE
pour 300 g de pâte :

- 6 jaunes d'œufs
- 3 blancs d'œufs
- 55 g de farine
- 85 g de sucre semoule

TAMISEZ la farine. Dans une terrine, fouettez les jaunes avec 50 g de sucre jusqu'à ce qu'ils blanchissent. Dans une seconde terrine, fouettez les blancs avec 35 g de sucre, jusqu'à ce qu'ils soient fermes ; versez les jaunes sucrés dans les blancs, en soulevant la préparation avec une spatule ; poudrez de farine, en procédant de la même manière.

Cette pâte, aérienne, est idéale pour la préparation des entremets à base de fruits à servir très froids ou glacés : spongieuse et souple, elle ne s'effrite pas et ne se brise pas, même lorsqu'elle est très mouillée. Cette quantité de pâte suffit à la préparation d'un entremets pour 8 personnes, moulé dans un cercle de 22 cm : vous obtiendrez deux disques servant l'un de base, l'autre de couvercle, et une bande de 4 cm de haut entourant l'entremets. Vous ferez cuire cette pâte 8 à 10 min, à four vif (230 °C), sur des plaques revêtues de papier siliconé, après avoir procédé ainsi : dessinez au crayon deux cercles de 20 cm de diamètre sur la première plaque et, sur la seconde, une bande de 10 cm de haut, de la longueur de la plaque. Glissez 1/3 de la pâte dans une poche munie d'une douille lisse n° 9 ou, éventuellement, 7. En partant du centre, formez une spirale de pâte qui vous amènera jusqu'aux bords du premier cercle, puis du second, avec le deuxième tiers de la pâte... Avec la pâte restante, remplissez le grand rectangle en déposant, dans le sens de la largeur du rectangle, des petits boudins de pâte, en diagonale, sans laisser de vide entre eux. Faire cuire la première plaque pendant que vous préparez la seconde, la pâte peut attendre quelques minutes.

Une fois cuits, laissez les cercles tels quels ; dans le rectangle, découpez deux bandes parallèles de 4 cm de haut..., si vous voulez confectionner un entremets comme celui nommé "désir" par exemple ; car, avec cette pâte, vous réaliserez aussi des biscuits à la cuillère traditionnels, qui vous permettront de confectionner des charlottes... à l'ancienne.

III

MACARONADE À L'ANANAS

pour 6 personnes :

POUR LA PÂTE AUX AMANDES :
• 250 g de pâte d'amande (recette p. 186)
• 30 à 40 g de blancs d'œufs
POUR LE BISCUIT À LA NOIX DE COCO :
• 65 g de sucre semoule
• 25 g de noix de coco râpée
• 20 g de poudre d'amande
• 12 g de farine
• 75 g de blancs d'œufs
POUR LA CRÈME À LA NOIX DE COCO :
• 125 g de beurre

• 25 g de lait de coco
• 65 g de noix de coco râpée
• 300 g de crème pâtissière (recette p. 128)
• 2 cuillerées à soupe de rhum blanc agricole
POUR LA GARNITURE :
• 1 ananas "victoria" de 600 g
• 1 citron vert
• 1 dl de nappage translucide (recette p. 195)
• 1 cuillerée à soupe de groseilles rouges égrappées

PRÉPAREZ d'abord la pâte aux amandes : mettez la pâte d'amande dans la cuve d'un robot pétrisseur équipé de la feuille ; faites tourner l'appareil à petite vitesse, en y incorporant lentement le blanc d'œuf : vous devez obtenir un mélange pâteux mais pas mou. Faites glisser la pâte dans une poche munie de la plus grosse douille cannelée, habituellement réservée à la chantilly. Dessinez un cercle de 22 cm sur un papier siliconé placé sur une plaque. Formez une couronne à l'intérieur de ce cercle, ensuite, en partant du centre, formez une spirale fine et légère, en appuyant sur la poche, pour créer une sorte d'armature.

Préparez le biscuit : mélangez 60 g de sucre, la poudre d'amande et la farine ; tamisez ; ajoutez-y la noix de coco. Dans une terrine, battez les blancs en neige avec les 5 g de sucre restants puis ajoutez-y le mélange, en pluie, en soulevant avec une spatule. Faites glisser cette pâte dans une poche munie de la douille lisse n° 8. Dressez-la, en tenant la poche à la verticale et la douille loin de la pâte, en spirale chevauchant la spirale aux amandes. Faites cuire au four, à 180 °C, 25 min, porte légèrement entrouverte.

Pelez l'ananas, coupez-le en tranches de 3 mm d'épaisseur, puis en bâtonnets ; laissez-les s'égoutter 1 heure sur du papier absorbant. Préparez la crème à la noix de coco : mettez le beurre dans la cuve d'un robot pétrisseur équipé du fouet-boule avant d'y ajouter la noix de coco râpée, le lait de coco, le rhum, et enfin la crème pâtissière. Répartissez cette crème, en spirale, sur le biscuit, à l'aide d'une poche à douille cannelée. Garnissez-la de bâtonnets d'ananas et de fins zestes de citron vert prélevés sur l'écorce du fruit à l'aide d'un zesteur ; badigeonnez au pinceau de nappage translucide à peine tiédi. Parsemez de groseilles.

J'aime beaucoup ce dessert, subtil et délicieux compromis entre une tarte, un gâteau et un entremets. Vous réaliserez une macaronade aux fraises sur la même base que celle-ci, en remplaçant la crème à la noix de coco par de la crème pour fraisier (recette p. 74) et l'ananas par des fraises. Vous la parsèmerez de pistaches hachées.

113

TULIPES

pour 45 à 50 tulipes :

- 50 g de beurre très mou
- 100 g de sucre glace
- 60 g de farine
- 2 blancs d'œufs

TAMISEZ le sucre glace dans un bol, la farine dans un autre bol. Mettez le beurre dans une terrine ; travaillez-le avec une spatule pour le rendre crémeux ; ajoutez-y le sucre glace et, lorsqu'il est incorporé, la farine. Lorsque le mélange est homogène, incorporez les blancs d'œufs, en continuant de tourner avec la spatule.

Lorsque la pâte est prête, crémeuse et lisse, couvrez-la d'un film et laissez-la reposer au réfrigérateur 8 heures au moins : vous pouvez la conserver une semaine à 4 °C...

Avant de faire cuire les tulipes, préparez un pochoir en découpant dans un carton fort un carré de 14 cm avec un manche de 12 cm ; découpez, au centre de ce carré, un cercle de 10 cm de diamètre. Posez ce pochoir sur le quart supérieur droit d'une plaque à pâtisserie antiadhésive. Trempez le côté plat d'une corne en demi-sphère dans la pâte et badigeonnez-en le cercle, uniformément. Retirez le pochoir ; préparez toutes les tulipes de la même manière. Glissez la plaque au four chaud (150 °C) pour 12 min, puis soulevez les disques de pâte, dorés mais encore chauds, donc très souples, et mettez-les dans de petits moules à brioche, pour leur donner une forme de tulipe. Retirez-les des moules après quelques secondes et laissez-les refroidir sur une grille.

« Cette pâte peut être déposée sur la plaque à l'aide d'une cuillère à café et étalée finement, en cercles, avec le dos de la cuillère. Servez ces petits-fours légers et croustillants en accompagnement des desserts glacés. »

Utilisez ces tulipes pour présenter des boules de glaces assorties, dans de grandes assiettes. Ou bien remplissez-les de chantilly piquée de fraises des bois.

PARADIS

pour 8 personnes :

• 1 génoise de 22 cm
(recette p. 110)
• 150 g de gelée de pomme
• 4 gouttes de colorant carmin
• 160 g de framboises
POUR LE SIROP DE ROSE :
• 100 g de sucre semoule
• 7 cl d'eau
• 20 g d'eau de rose
• 20 g de sirop de rose

POUR LE SUPRÊME DE PÉTALES
DE ROSE :
• 1/4 de litre de lait
• 2 roses "Sonia" non traitées
• 30 g de sirop de rose
• 1 1/2 cuillerée à soupe d'eau de rose
• 8 g de gélatine en feuilles
• 5 jaunes d'œufs
• 30 g de sucre semoule
• 3,5 dl de crème liquide

DÉCOUPEZ dans la mie de la génoise deux disques de 22 cm et de 8 mm d'épaisseur. Préparez le sirop de rose pour imbiber la génoise : faites bouillir l'eau et le sucre ; hors du feu, ajoutez à ce sirop l'eau de rose et le sirop de rose. Préparez le suprême de pétales de rose : effeuillez les roses "Sonia", réservez 5 grands pétales ; ciselez finement les autres ; faites bouillir le lait ; hors du feu, jetez-y les pétales ciselés et laissez-les infuser 15 min ; filtrez le lait ; ajoutez l'eau et le sirop de rose. Faites tremper la gélatine à l'eau froide. Dans une casserole à fond épais, fouettez les jaunes avec le sucre ; ajoutez-y le lait et faites cuire cette crème comme une crème anglaise (recette p. 129). Incorporez la gélatine rincée et égouttée. Laissez refroidir le mélange à 20 °C dans un récipient contenant des glaçons. Fouettez la crème liquide et incorporez-la à la crème à la rose, en soulevant délicatement.
Mettez un disque de génoise dans un cercle de 22 cm placé sur une plaque revêtue de papier siliconé ; imbibez-le de la moitié du sirop ; versez la moitié du suprême de pétales de rose ; piquez les framboises dedans, pointe vers le haut, couvrez-les d'une fine couche de suprême de pétales de rose, lissez avec une spatule. Imbibez le second disque de sirop restant ; posez-le dans le cercle. Garnissez de suprême de pétales de rose restant. Lissez-le à la spatule. Mettez 12 heures au réfrigérateur. Au bout de ce laps de temps, faites fondre la gelée de pomme à feu doux avec le colorant et nappez-en le paradis. Décorez de pétales réservés ; mettez le reste de gelée dans un petit cornet confectionné dans du papier fort ; déposez des gouttelettes de gelée sur les pétales.
Mettez le gâteau au réfrigérateur à 4 °C, pour 4 à 8 heures. Retirez le cercle ; entourez le gâteau d'un ruban rose et portez-le à table.

Ce paradis, où la rose, doucereuse, est tempérée par la très fine acidité de la framboise, offre une délicate et subtile harmonie de saveurs et de couleurs qui ravit l'œil et le palais.

117

CÉDRAT : LE PLUS GROS DES AGRUMES :
SOUS L'ÉCORCE PLISSÉE, UN PETIT CŒUR JUTEUX ENTOURÉ
D'UNE DOUILLETTE ENVELOPPE BLANCHE, EXQUISE
CRUE ET CONFITE.

CRÈME AU CITRON

pour environ 850 g de crème au citron :

- 3 zestes de citron non traités - citron de Nice de préférence - très finement hachés
- 220 g de sucre semoule
- 1,6 dl de jus de citron fraîchement pressé
- 4 œufs
- 300 g de beurre

D ANS un cul-de-poule, mettez le sucre et les zestes ; tournez 1 min avec une spatule afin que le parfum des zestes imprègne le sucre ; ajoutez les œufs en fouettant, puis le jus de citron. Mettez le cul-de-poule dans un bain-marie frémissant et faites cuire la préparation en la fouettant dès qu'elle commence à tiédir, jusqu'à ce qu'elle atteigne la température idéale de 82/83 °C... Retirez-la du bain-marie, filtrez-la et laissez-la refroidir à 50 °C, avant d'y incorporer le beurre : si elle était trop chaude, le beurre fondrait à son contact, deviendrait huileux, et la crème se décomposerait. Coupez le beurre en cubes de 1 cm ; incorporez-le à la crème au citron, en quatre ou cinq fois, tout en fouettant très vivement. Le mieux est d'utiliser un mixeur plongeant, très rapide et très performant, qui donne à la crème une onctuosité et une fermeté remarquables et lui assure une parfaite stabilité. Cette crème se garde quatre jours au réfrigérateur, à 4 °C, dans un récipient couvert. Utilisez-la pour garnir des mini-tartelettes en pâte sucrée (recette p. 49) et des tartelettes sur lesquelles vous poserez une rondelle de citron macérée huit heures dans un sirop – 1 litre d'eau et 500 g de sucre bouillis 1 min – versé sur les fines tranches. Quant aux grandes tartes, elles seront confectionnées de la même manière, puis nappées de gelée de citron.

« D'une variété de citron à l'autre, il y a une différence de goût et de parfum ; il faut utiliser des citrons de Nice, dits "de Menton" ou de Corse, non traités, pas trop acides, au bouquet riche et délicat. »

Un de mes desserts préférés est le croustillant au citron, composé de deux rectangles de pâte feuilletée caramélisée (recette p. 33), fourrés d'une épaisse couche de crème au citron légèrement gélatinée et additionnée d'un peu de chantilly, au cœur de laquelle je glisse un sablé à la cannelle.

LE LAIT

L E lait, source de vie, aussi complexe que la vie, est composé d'éléments répartis en équilibre fragile dans une importante masse d'eau, facilement aptes à se séparer les uns des autres : matières grasses en émulsion, protéines en suspension, sucres en solution. De par sa simple différence de densité, la matière grasse répartie sous forme de fins globules au sein du lait remonte spontanément en surface au bout d'un certain temps de repos. Ainsi, de tout temps, a-t-on recueilli la crème, d'abord liquide puis s'épaississant au fil des heures par fermentation naturelle, pour l'utiliser telle quelle ou fabriquer du beurre. L'industrie exploite l'aptitude de la crème à se séparer du lait, en utilisant la force centrifuge pour obtenir la crème d'une part et le lait écrémé d'autre part, dans de puissantes machines : les "écrémeuses-centrifugeuses". La crème recueillie sera vendue comme crème fraîche telle qu'à la sortie de l'écrémeuse, encore liquide, ou épaissie ; elle servira à la fabrication du beurre ; ou encore, elle sera réincorporée dans le lait écrémé à raison de 36 grammes par litre pour un lait entier et entre 15,5 et 18 grammes par litre pour un lait demi-écrémé.

Pour éviter la formation d'une couche superficielle de crème sur le lait, on procède à une homogénéisation qui, par des moyens strictement mécaniques, brise, et donc disperse mieux les globules de matière grasse en réduisant leur diamètre de 6 à 1 micron.

121

Le lait qui ne subit aucun autre traitement est vendu sous l'étiquette "lait cru"; le lait qui subit un traitement thermique faisant monter sa température à 72 °C pendant 15 secondes puis à 80-85 °C pendant une seconde, suivi d'un refroidissement immédiat à 4 °C est un lait "pasteurisé": la pasteurisation n'altère en rien ses qualités organoleptiques et ne détruit pas ses ferments lactiques. En revanche, la stérilisation à ultra-haute température – traitement U.H.T. – qui porte le lait à une température de 150 °C pendant 1 à 2 secondes – ce qui lui assure une longue conservation – détruit ses ferments lactiques et lui donne un désagréable arrière-goût de caramel, dû à la cuisson du lactose – le sucre du lait. C'est pour cette raison que Pierre Hermé n'utilise pas de lait stérilisé, qui, privé des ferments lactiques, ne peut plus assurer, par osmose avec le sucre et les œufs, la maturation de la crème anglaise se bonifiant après 12 heures de repos. Quant au lait cru, qui comporte trop de risques sur le plan bactériologique et dont le goût, trop puissant, peut masquer le goût des œufs et le subtil parfum de la vanille, il n'a pas non plus droit de cité dans sa pâtisserie. Reste le lait frais pasteurisé, idéal, sain, goûteux, riche, vivant, dont la saveur et le bouquet assurent la réussite des crèmes aux œufs, des œufs au lait, des glaces, des pâtes à crêpes, des pâtes levées, des cannelés, des ganaches: une ganache au lait sera certes plus fluide mais moins grasse et sans doute plus délicate qu'une ganache à la crème, surtout lorsqu'on y ajoute une lichette de beurre. Incorporé à des pâtes levées, le lait les adoucit, les assouplit, leur assure une croûte lisse, uniformément dorée: les petits pains mouillés au lait ont une texture douce, soyeuse, légère, criblée de petites alvéoles qui caressent le palais – Pierre Hermé se souvient des "Melierweckle" paternels – alors que les mêmes, pétris à l'eau, sont rêches, rugueux et secs; ce sont les sucres du lait qui apportent cette extraordinaire finesse...

À raison de 1 litre pour 140 grammes de chocolat, le lait donne un délicieux chocolat chaud, léger, lisse et velouté, alors que la crème l'épaissit et l'empâte: il suffit de faire bouillir le chocolat en morceaux dans le lait, en fouettant.

Si la crème ne surnage pas sur le lait homogénéisé, il suffit de le faire bouillir, puis refroidir, pour recueillir l'exquise "peau de lait", au goût incomparable, que les enfants adorent poser sur des tranches de pain, avant de les savourer, excessivement poudrées de sucre. Pierre Hermé a lui aussi ce souvenir d'enfance et le perpétue en nappant de peau de lait son fabuleux ananas rôti caramélisé à la vanille.

Issue du lait, la crème fraîche a, comme le lait, de très nombreux usages en pâtisserie. La plus parfaite est la crème liquide simplement pasteurisée, non ensemencée, non traitée U.H.T., douce, blanche, obtenue par simple centrifugation du lait, comme la crème d'Alsace que Pierre Hermé utilise. Pour la crème fouettée et la chantilly, elle doit être très froide, à 4 °C, et être maintenue à cette température pendant qu'on la fouette, car sous l'action du fouet, la crème s'échauffe, se déstabilise, se décompose, jaunit, "graine", "tourne au beurre"... et ne peut plus être utilisée.

Il ne faut pas fouetter la crème trop longtemps avant de l'ajouter à des prépa-rations élaborées ou à des ganaches, afin qu'elle s'y incorpore facilement grâce à sa souplesse. Pour une chantilly – qui n'est autre qu'une crème fouettée additionnée de sucre – la crème peut être plus ferme : il faut donc la fouetter plus longuement et d'une manière très douce, avec un fouet manuel ou un aérobatteur qui la fait foisonner délicatement, contrairement à ce que peut faire un batteur électrique trop brutal, qui fait éclater les molécules de matière grasse, libère l'eau et fait tourner la crème. Les recettes de Pierre Hermé montrent que la crème liquide, même bouillie pour que puissent y infuser gousses de vanille et épices diverses, une fois refroidie, foisonne à loisir. De plus, chargée des arômes dont elle est le plus parfait support, elle peut être mêlée en douceur à tous les ingrédients avec lesquels elle entretient d'électives affinités – sucre, œufs, poudre d'amande, fruits – pour la confection de sublimes mousses, bavaroises, clafoutis et autres crèmes brûlées.

CHANTILLY
pour 1 kg de chantilly :

• 1 litre de crème liquide crue   • 60 g de sucre semoule

L A crème doit être à la température de 4°C; versez-la dans un cul-de-poule placé dans un bac rempli de glaçons – un "bain-marie" de glaçons. Dans ces conditions, la crème monte vite et facilement, ne jaunit pas, ne "tranche" pas. Fouettez-la de préférence au fouet à main, mais le petit batteur électrique, à vitesse moyenne, donne de bons résultats. Ajoutez le sucre, en pluie, lorsque la crème est presque ferme et encore neigeuse et cessez de la fouetter dès qu'elle est ferme et avant qu'elle ne "tranche", en devenant jaune et granuleuse pour donner bientôt du beurre !
Réalisée avec une crème liquide crue, et avec moins de sucre qu'on n'en ajoute généralement et sans aucun parfum – pas même la vanille qui masquerait son subtil arôme laitier –, la chantilly "nature" est idéale pour accompagner de très nombreux desserts. Cela ne doit cependant pas vous empêcher de vous amuser à la parfumer lorsque les desserts requièrent une note de fantaisie, une opposition de saveurs, une harmonie de goûts.
Imaginez une "chantilly au chocolat noir" : 1 litre de crème bouillie avec 200 g de chocolat Guanaja de Valrhona et 50 g de sucre, fouettée, refroidie 8 heures et fouettée à nouveau ; une "chantilly au chocolat au lait" : 210 g de chocolat "lacté" de Valrhona et 3 dl de crème bouillante vivement fouettés, refroidis 12 heures et fouettés à nouveau ; une "chantilly au café" : 60 g de café moulu infusé 15 min dans 1 litre de crème avec sucre à volonté ; une "chantilly à la pistache" : 120 g de pâte de pistache délayée dans 1 litre de crème ; une "chantilly à la cannelle" avec de l'écorce de cannelle infusée dans la crème ; une "chantilly à l'anis étoilé", à l'amande amère, aux zestes d'orange ou de citron... ou encore une "chantilly à la menthe", avec 60 g de menthe fraîche hachée infusée 15 min puis mixée dans 1 litre de crème ; et bien sûr, une vraie "chantilly à la vanille" avec 3 à 4 gousses de vanille de Tahiti par litre de crème, qui couronne si bien une dacquoise garnie de compote d'orange et de framboises fraîches, par exemple...

CANNELÉS

pour 20 gros ou 40 petits cannelés :

- 1/2 litre de lait
- 2 gousses de vanille de Tahiti
- 50 g de beurre
- 250 g de sucre glace
- 2 œufs + 2 jaunes

- 100 g de farine type 45
- 1 cuillerée à soupe de rhum brun agricole, vieux
POUR LES MOULES :
- 50 g de beurre mou

*« "Quand c'est noir, c'est cuit",
dit-on des cannelés, dont
l'extérieur doit être très foncé,
très croustillant, cachant
– contraste délicieux – un cœur
très moelleux. »*

*Il peut arriver qu'en
cours de cuisson les cannelés
gonflent excessivement :
il suffit de les piquer avec
la pointe d'un couteau pour
leur faire retrouver leur
volume.*

FENDEZ la gousse de vanille ; grattez-la avec un petit couteau ; mettez les graines et la gousse dans une casserole ; ajoutez le lait ; portez à ébullition. Laissez infuser 8 heures au moins. Retirez la gousse.

Tamisez séparément le sucre glace et la farine. Faites fondre le beurre dans une petite casserole ; laissez-le refroidir. Cassez les œufs dans une terrine ; ajoutez les jaunes, puis le sucre glace ; mélangez bien au fouet ; ajoutez ensuite le rhum, le beurre, la farine et enfin le lait froid, sans cesser de tourner. Couvrez la terrine ; réservez cette pâte au réfrigérateur 24 heures avant de l'utiliser. Vous pouvez la conserver 4 jours à 4 °C et n'en faire cuire qu'une partie, car les cannelés doivent être dégustés le jour même. Mais, à chaque fois que vous l'utilisez, tournez bien la pâte et travaillez-la 2 min au fouet.

Réservez les moules à cannelés au réfrigérateur puis beurrez-les à l'aide d'un pinceau et remplissez-les de pâte à 1 cm du bord.

Faites cuire les cannelés au four traditionnel à 210 °C ou dans un four à chaleur pulsée à 180 °C. Comptez 50 min de cuisson pour des moules de 3,5 cm de diamètre, 1 heure pour des moules de 4,5 cm et 1 h 15 pour des moules de 5,5 cm.

Démoulez les cannelés encore chauds ; laissez-les refroidir sur une grille ; dégustez-les à température ambiante.

Pour obtenir un aspect extérieur lisse et brillant qui met en valeur la couleur très brune des cannelés, badigeonnez les moules, au pinceau, d'un mélange à parts égales de cire d'abeille désodorisée fondue avec du beurre. Utilisez impérativement des moules en cuivre, qui assurent une cuisson idéale. Au premier usage, nettoyez-les, "culottez-les" en les enduisant de beurre puis en les mettant 20 min dans un four très chaud, à plus de 250 °C ; retirez-les du four, nettoyez-les alors qu'ils sont encore chauds puis laissez-les refroidir avant de les utiliser. Ne lavez jamais les moules ; essuyez-les simplement avec un chiffon sec après chaque utilisation. Si de la pâte reste collée aux moules, repassez-les au four chaud, elle se décollera facilement.

Recette de Frédérick E. Grasser, "la Cuisinière du cuisinier".

126

CRÈME PÂTISSIÈRE

pour 800 g de crème :

- 1/2 litre de lait frais entier
- 45 g de Maïzena
- 125 g de sucre semoule
- 6 jaunes d'œufs
- 50 g de beurre
- 2 gousses de vanille de Tahiti

METTEZ dans une casserole Inox à fond épais la Maïzena avec la moitié du sucre ; versez le lait en tournant avec un fouet. Fendez les gousses de vanille et grattez l'intérieur avec un petit couteau ; mettez gousses et graines dans la casserole, portez à ébullition en fouettant.

Dans une seconde casserole, fouettez les jaunes d'œufs avec le sucre restant, pendant 3 min ; versez-y, en mince filet, le contenu de la première casserole en continuant de tourner avec le fouet. Portez la crème à ébullition et retirez-la du feu aussitôt après le premier bouillon. Ôtez les gousses de vanille puis plongez la crème dans un récipient rempli de glaçons.

Lorsque la crème a refroidi et atteint 50 °C, ajoutez-y le beurre, en tournant vivement avec le fouet : notez que le beurre ne doit pas être incorporé à la crème lorsque celle-ci est à plus de 60 °C car elle deviendrait granuleuse et le beurre perdrait son bon goût de frais. Vous parfumerez la crème au café, en y ajoutant 5 g de café soluble dilué dans une cuillerée à café d'eau et 5 gouttes d'extrait naturel de café, ou au Cointreau, Grand Marnier, kirsch pur, rhum brun agricole vieux, en y ajoutant 1 à 2 cuillerées à soupe de l'un de ces alcools.

CRÈME ANGLAISE
À LA VANILLE
pour 10 personnes :

- 1/2 litre de lait entier, frais
- 1/2 litre de crème liquide
- 12 jaunes d'œufs
- 250 g de sucre semoule
- 4 gousses de vanille de Tahiti

FENDEZ les gousses de vanille, grattez-en l'intérieur à l'aide d'un petit couteau ; mettez les graines aromatiques et les gousses dans une casserole ; ajoutez le lait et la crème ; portez à ébullition puis laissez infuser 10 min.

Dans une seconde casserole Inox à fond épais, mettez les jaunes d'œufs ; ajoutez le sucre ; fouettez le mélange pendant 3 min puis versez dans la seconde casserole le contenu de la première en mince filet, en tournant avec le fouet. Faites cuire la crème sur un feu moyen, sans cesser de la tourner, jusqu'à ce qu'elle atteigne 85 °C, puis retirez-la du feu et laissez-la "pocher" pendant 4 à 5 min, jusqu'à ce qu'elle atteigne 86 °C, sa température idéale de cuisson, en la tournant très lentement, de manière qu'elle acquière une parfaite onctuosité ; versez-la alors, en la filtrant, dans une terrine aussitôt plongée dans un récipient contenant des glaçons, ce qui permet de pasteuriser la crème afin de mieux la conserver. Laissez-la refroidir en la tournant de temps en temps puis réservez-la au réfrigérateur 24 heures avant de l'utiliser : ce temps de maturation est nécessaire pour créer une osmose entre le goût des œufs et celui des ferments lactiques du lait frais entier. Un lait longue conservation (U.H.T.) ne permettrait pas ce résultat.

CHARLOTTE AUX FRUITS ROUGES

pour 8 personnes :

• 1 disque de génoise (recette p. 110) de 22 cm et de 1 cm d'épaisseur
• 1 bande de biscuit Joconde (recette p. 187) de 4 cm de large, nature ou rayé de rose
• 400 g de fruits rouges et noirs assortis : fraises, framboises, fraises des bois, mûres, groseilles, cassis
• 100 g de fraises des bois
• quelques feuilles de menthe
POUR LE SIROP À LA FRAMBOISE :
• 4 cuillerées à soupe de sirop de canne à sucre
• 1 cuillerée à soupe de liqueur de framboise

• 1 cuillerée à soupe d'eau-de-vie de framboise
POUR LE COULIS :
• 500 g de framboises
• 150 g de sucre semoule
POUR LA MOUSSE À LA FRAMBOISE :
• 400 g de framboises
• 1/2 cuillerée à soupe de jus de citron
• 12 g de gélatine en feuilles
• 120 g de blancs d'œufs
• 60 g de sucre semoule
• 2,5 dl de crème liquide

PLACEZ un cercle de 22 cm sur une plaque revêtue de papier siliconé ; doublez le cercle d'une bande de Rhodoïd de 4 cm de large avant de poser la bande de biscuit Joconde, à l'intérieur du cercle. Mettez le disque de génoise au fond du cercle. Préparez d'abord le sirop : mélangez dans un bol le sirop de canne à sucre, la liqueur de framboise et l'eau-de-vie de framboise ; mouillez-en le biscuit.

Préparez ensuite le coulis : mixez les framboises avec le sucre ; filtrez ; étalez un quart de ce coulis sur le biscuit, puis piquez-le de fraises des bois ; réservez le coulis restant au réfrigérateur.

Préparez enfin la mousse. Faites bouillir le sucre avec 2 cuillerées à soupe d'eau jusqu'à 118 °C. Dans la cuve d'un robot équipé du fouet-boule, battez les blancs en neige ; ajoutez-y le sirop, en mince filet ; fouettez jusqu'à ce que la meringue soit froide. Mixez les framboises avec le jus de citron ; filtrez. Faites tremper la gélatine dans de l'eau froide ; rincez-la ; égouttez-la ; faites-la fondre au bain-marie dans une petite casserole ; ajoutez-y 1/4 de la pulpe de framboise puis versez le contenu de la casserole dans la pulpe restante. Ajoutez la meringue dans la pulpe de framboise. Fouettez la crème ; incorporez-la au mélange framboise-meringue, dont la température ne doit pas dépasser 20 °C, en le soulevant avec une corne. Versez cette mousse dans le cercle ; lissez-la avec une spatule. Mettez l'entremets au congélateur 1 heure, ou au réfrigérateur 6 à 8 heures. Au bout de ce laps de temps, retirez le cercle et la bande de Rhodoïd et décorez l'entremets de fruits rouges et noirs et de feuilles de menthe. Servez-le aussitôt, accompagné du coulis de framboise réservé.

Évitez de trop chauffer la pulpe de framboise, elle perdrait son goût de fruit frais pour prendre un inopportun goût de confiture.

TARTE AUX POMMES
AU RIZ AU LAIT
pour 2 tartes de 22 cm, soit 12 personnes :

• 500 g de pâte brisée (recette p. 48)
• 12 pommes de saison : reine des reinettes, cox orange, clocharde, granny-smith, calville blanche
• 50 g de beurre
• 100 g de cassonade
POUR LE RIZ AU LAIT :
• 6,5 dl de lait frais entier

• 35 g de sucre semoule
• 1 pincée de fleur de sel
• 25 g de beurre
• 45 g de riz d'Italie (Arborio ou Carnaroli)
• 2 jaunes d'œufs
• 60 g de raisins secs blonds sans pépins

Cette recette demande une extrême précision dans la cuisson du riz et des pommes. Un riz trop cuit donne une tarte étouffante, alors qu'il réserve, lorsqu'il est cuit à point, une agréable surprise dans l'harmonie des différentes textures qui composent ce dessert : croustillant de la pâte, moelleux du riz au lait, fondant des pommes.

DEUX heures avant de préparer les tartes, rincez les raisins, couvrez-les d'eau chaude et laissez-les gonfler.
Étalez la pâte sur une épaisseur de 2 mm ; garnissez-en deux moules à tarte antiadhésifs de 22 cm ; piquez la pâte, sans la traverser, de nombreux coups de fourchette ; couvrez-la de papier sulfurisé frangé sur les bords ; remplissez les tartes de noyaux d'abricots ou de légumes secs ; faites cuire les fonds de tarte au four à 180 °C, pendant 20 min, afin de faire blondir la pâte.
Pendant ce temps, préparez le riz au lait : dans une casserole, faites bouillir le lait avec le sucre et le sel ; rajoutez le riz en pluie ; laissez cuire à feu doux jusqu'à ce que le riz ait absorbé tout le lait ; en principe, à ce moment-là, le riz est cuit : si ce n'est pas le cas, rajoutez un peu de lait. Hors du feu, mettez un peu de riz dans les jaunes en mélangeant vivement puis ajoutez-les dans la casserole ainsi que le beurre et les raisins secs égouttés ; mélangez.
Lorsque la pâte est blonde, retirez papier et noyaux ou légumes secs et répartissez le riz dans les fonds de tarte. Remettez les tartes au four, à la même température, 5 min environ, le temps que le riz forme une croûte blonde. Pendant ce temps, coupez les pommes en huit ; pelez-les ; avec la pointe d'un couteau ; fendillez-les en croisillons sur la partie bombée de la tranche et posez-les sur une plaque revêtue de papier siliconé. Poudrez-les de cassonade ; parsemez-les de petits flocons de beurre et faites-les cuire au four à 220 °C, pendant 15 min : elles doivent légèrement dorer. Laissez-les refroidir ainsi que les tartes avant de disposer les fruits en rosace sur le riz.
Servez ces tartes le jour même de leur confection, à température ambiante. Juste avant de les déguster, passez-les 5 min au four doux pour faire tiédir les pommes sans faire chauffer le riz.

132

VICTORIA EST LE PLUS PETIT ANANAS DU
MONDE : IL PÈSE ENTRE 250 ET 800 GRAMMES, VIENT DE
LA RÉUNION ET SON CŒUR EST TENDRE.

PÂTE À CHOUX

pour 750 g de pâte :

- 1/8 de litre d'eau
- 1/8 de litre de lait
- 110 g de beurre
- 1 cuillerée à café rase de sel

- 1 cuillerée à café rase de sucre semoule
- 140 g de farine
- 5 œufs

VERSEZ l'eau et le lait dans une casserole ; ajoutez sel, sucre et beurre. Portez à ébullition, puis versez la farine d'un seul coup dans la casserole. Tournez vivement avec une spatule afin de rendre lisse et homogène la pâte, qui va très vite se détacher des bords et du fond de l'ustensile : lorsque cela se produit, continuez de tourner vivement la pâte, pendant 2 à 3 min, afin de la dessécher un peu. Retirez-la du feu, versez-la dans un grand bol, ajoutez les œufs, un à un, en attendant que le premier soit parfaitement incorporé pour ajouter le suivant, et ainsi de suite.

Continuez de travailler ainsi la pâte, en la tournant vivement avec la spatule, jusqu'à ce que, lorsque vous la soulevez, elle retombe dans la casserole en formant un "ruban", signe qu'elle est prête et qu'il est inutile de la travailler plus longtemps.

Selon l'usage auquel vous la destinez – grands ou petits éclairs, gros ou petits choux, gourmandises et autres paris-brest (douilles n° 14 ou 7 pour les éclairs, 14 ou 9 pour les choux, 14 pour les gourmandises et les paris-brest) –, vous glisserez la pâte dans une poche munie de la douille adéquate et la dresserez comme il conviendra, sur des plaques revêtues de papier siliconé, avant de la faire cuire 15 à 20 min, voire 30 min pour les grands paris-brest, au four à 190 °C/200 °C. Au tiers de la cuisson, entrebâillez la porte du four, de manière à laisser la vapeur s'échapper en partie et à dessécher un peu la pâte.

GOURMANDISES
AUX FRAISES
pour 12 gourmandises :

• 600 g de pâte à choux (recette p. 135)
• 60 g d'amandes hachées
• 100 g de sucre-grain n° 10
• 1 kg de fraises
• sucre glace

• 300 g de crème pâtissière à la vanille (recette p. 128)
• 300 g de chantilly nature (recette p. 124)

P RÉPAREZ les gourmandises comme des éclairs : glissez la pâte à choux dans une poche munie d'une grosse douille cannelée n° 13 ou 14. Sur une plaque revêtue de papier siliconé, déposez 12 bâtonnets de 12 cm de long : ils pèsent 50 grammes ; poudrez-les de sucre-grain et d'amandes hachées ; faites-les cuire au four à 190 °C, 20 min, en entrouvrant légèrement la porte après 7 min de cuisson, pour permettre à la pâte de se développer harmonieusement et de bien sécher. À leur sortie du four, laissez les éclairs refroidir sur une grille puis retirez-leur une bande de pâte qui servira de couvercle lorsqu'ils seront fourrés : à l'aide d'un couteau-scie, coupez 1/4 de la pâte, sur toute la longueur et en biais ; répartissez la crème pâtissière dans le fond. Équeutez les fraises ; rangez-les sur la crème, debout, serrées les unes contre les autres. Faites glisser la chantilly dans une poche munie d'une grosse douille cannelée ; déposez-la en vrille sur toute la longueur de l'éclair, sur les fraises.

Posez le chapeau ; poudrez-le de sucre glace. Réservez les gourmandises au réfrigérateur jusqu'au moment de les déguster. Servez-les au plus tard 2 à 3 heures après les avoir confectionnées.

Vous réaliserez des gourmandises aux framboises, en remplaçant les fraises par des framboises. Amusez-vous aussi à confectionner un seul gros gâteau en couronne, comme un paris-brest.

138

SOUS SA COQUE ROUGE HÉRISSÉE DE BOUCLES
FLAMMÉES DE VERT, LE RAMBOUTAN, "LITCHI CHEVELU" DE
MALAISIE, CACHE UNE CHAIR BLANCHE ET NACRÉE
AU DÉLICAT PARFUM DE ROSE.

ÉCLAIRS AU CAFÉ

pour 12 éclairs :

- 375 g de pâte à choux réalisée avec du café fort en remplacement de l'eau (recette p. 135)
- 800 g de crème pâtissière au café (recette p. 128)

POUR LE GLAÇAGE :
- 250 g de fondant blanc
- 60 g de sucre semoule
- 4 cuillerées à soupe d'eau
- 2 cuillerées à soupe d'extrait naturel de café

GLISSEZ la pâte à choux dans une poche munie d'une grosse douille cannelée n° 13 ou 14. Sur une plaque revêtue de papier siliconé, déposez 12 bâtonnets de 12 cm de long : ils pèsent 30 g chacun. Faites cuire les éclairs au four, 20 min à 190 °C, en entrouvrant légèrement la porte du four après 7 min de cuisson, pour permettre à la pâte de se développer régulièrement.

À la sortie du four, laissez les éclairs refroidir sur une grille.

Préparez le glaçage : faites bouillir le sucre et l'eau dans une casserole. Mettez le fondant dans un bain-marie ; ajoutez-y l'extrait de café et le sirop, progressivement, en mince filet, en tournant très lentement avec une spatule, sans faire de bulles ; lorsque le fondant a une consistance idéale – pâteuse, souple, s'étalant facilement sans couler –, n'ajoutez plus de sirop.

Glissez la crème dans une poche munie d'une douille lisse moyenne n° 7 et fourrez les éclairs en enfonçant la douille dans l'une des extrémités : comptez 50 g de crème par éclair. Une fois les éclairs garnis, glissez le fondant dans une poche munie d'une douille plate et nappez-en le dessus des éclairs : le fondant figeant en 5 à 10 min, les éclairs sont prêts à être dégustés. Notez que si le fondant est trop chaud il sera terne, s'il est trop froid il sera difficile à étaler : sa température idéale est de 32 à 35 °C.

Vous réaliserez des éclairs au chocolat en ajoutant à la recette de base de la pâte 30 g de cacao amer. Vous les garnirez d'une crème pâtissière au chocolat obtenue en ajoutant 200 g de chocolat noir râpé gros, en trois ou quatre fois, à la crème pâtissière de base (recette p. 128) encore chaude. Pour le glaçage, remplacez l'extrait de café par 25 g de cacao amer en poudre, tamisé.

141

GLACE AU CARAMEL

pour 2 kg de glace :

- 520 g de sucre semoule
- 2,75 dl de crème liquide très froide
- 1 litre de lait entier frais
- 9 jaunes d'œufs

Voici une crème glacée que tout le monde aime et que vous pourrez servir seule ou en accompagnement de nombreux desserts et entremets... Vous pouvez en corser le parfum avec 10 g (5 bâtons) de cannelle de Ceylan que vous ajouterez au sucre en cours de caramélisation ; ne retirez pas la cannelle lorsque vous le décuirez puis l'ajouterez dans le lait bouillant car il faudra laisser infuser la cannelle dans le lait 1 heure au moins avant de procéder à la confection d'une fabuleuse glace à la cannelle caramélisée.

DANS une casserole moyenne, faites bouillir le lait avec 1 dl de crème liquide. Dans un bol, fouettez la crème restante. Dans une grande casserole Inox, fouettez les jaunes d'œufs avec 170 g de sucre. Dans une troisième casserole, mettez un dixième des 350 g de sucre restants : laissez-le fondre à feu doux puis ajoutez encore un dixième de sucre et ainsi de suite. Laissez caraméliser le sucre jusqu'à ce qu'il atteigne une belle couleur d'ambre foncé, signe que le caramel aura du goût, mais ne sera pas amer. Ajoutez-y, sans attendre, la crème fouettée : elle "décuit" le caramel – en d'autres termes, elle en arrête la cuisson, tout en évitant les projections, car elle est fouettée. Mélangez avec une spatule puis ajoutez ce caramel au lait chaud, sans cesser de tourner puis versez ce lait au caramel sur les jaunes, en tournant avec la spatule pour bien délayer. Faites cuire cette préparation comme une crème anglaise (recette p. 129) et, comme pour une crème anglaise, laissez-la séjourner 24 heures au réfrigérateur. Ce n'est qu'au terme de ce repos générateur de saveur que vous ferez glacer la crème en sorbetière.

142

GLACE AUX PÉTALES
DE ROSE

pour 1,5 litre de glace :

- 5 roses "Sonia" non traitées
- 3/4 de litre de lait
- 2 dl de crème liquide
- 1 dl de sirop de rose
- 1 dl d'eau de rose
- 12 jaunes d'œufs
- 250 g de sucre semoule

PRÉPAREZ la glace 24 heures à l'avance : effeuillez les roses et ciselez-en les pétales ; faites bouillir le lait et la crème, plongez-y les pétales de rose : laissez infuser à couvert pendant 15 min, puis filtrez en pressant bien les pétales. À ce lait crémeux et parfumé ajoutez le sirop et l'eau de rose.

Dans une terrine, fouettez les jaunes d'œufs et le sucre jusqu'à ce qu'ils blanchissent ; versez-y le lait ; faites cuire cette crème et faites-la refroidir comme une crème anglaise (recette p. 129). Vingt-quatre heures plus tard, faites-la glacer dans une sorbetière. Servez cette glace telle quelle, dans des tulipes (recette p. 115), seule ou en compagnie d'un sorbet à la framboise (recette p. 155) ou d'une glace au caramel (recette p. 142).

Autour de cette glace, je compose un de mes desserts favoris : je fais rôtir 12 figues (3 par personne) poudrées de sucre et aspergées de jus de citron, avec 80 g de beurre et 3 cuillerées à soupe d'eau, en compagnie d'une gousse de vanille et d'un petit bâton de cannelle, pendant 20 min, au four, à 230 °C. J'arrose souvent en cours de cuisson. Une fois cuites, je dresse les figues chaudes dans les assiettes et je les nappe de leur jus filtré. Je les accompagne d'une quenelle de glace aux pétales de rose piquée de cinq arlettes (recette p. 145) et entourée de coulis de framboise parsemé de framboises fraîches.

ARLETTES
pour 70 à 80 arlettes :

- 300 g de pâte feuilletée inversée (recette p. 24)
POUR LE SUCRE ÉPICÉ :
- 500 g de sucre glace

- 2 cuillerées à café rases de piment de la Jamaïque moulu
- 1 cuillerée à café rase de vanille en poudre

ÉTALEZ la pâte feuilletée sur une épaisseur de 2 mm ; découpez-y un rectangle de 20 cm de large et de 40 cm de long ; placez-le verticalement sur le plan de travail puis roulez-le très serré sur lui-même, en partant de la base.

Mettez ce rouleau de pâte, enveloppé d'un film, au congélateur, jusqu'à ce qu'il devienne assez ferme pour être coupé en fines rondelles de 3 à 3,5 mm, au couteau ou à la trancheuse électrique. Préparez le sucre aux épices en mélangeant tous les ingrédients, puis tamisez-le ; poudrez-en le plan de travail sur une épaisseur de 1/2 cm, en formant un carré de 25 cm. Posez les rondelles de pâte, deux par deux, dans ce sucre, puis aplatissez-les, recto verso, au rouleau, le plus finement possible. Disposez-les au fur et à mesure sur une plaque revêtue de papier siliconé. Faites-les cuire 5 à 6 min au four chaud, à 230 °C : elles doivent être très caramélisées. Laissez-les refroidir sur une grille. Servez-les au moment du café, avec d'autres petits-fours, ou utilisez-les pour accompagner glaces et sorbets et composer des desserts.

« Pour faciliter la pesée des épices, préparez le sucre aux épices en plus grande quantité et réservez-le dans un bocal : vous lui trouverez bien d'autres utilisations. »

Il est indispensable de déguster les arlettes le jour même de leur confection ; aussitôt refroidies, réservez-les dans une boîte en métal...

PHYLLOSOPHIES

pour 8 personnes :

• 2 feuilles de "phyllo" grecque   • sucre glace

« La "phyllo" peut servir d'enveloppe à des fruits secs mélangés ou à des fruits frais rôtis: faites-en des petits balluchons froissés, des rectangles ou des carrés, avant de les passer au four puis de les servir avec crèmes et coulis. Vous pouvez aussi réaliser une fabuleuse tourte au fromage de brebis – brocciù ricotta ou brousse – additionné d'un œuf, d'un peu de sucre et de raisins secs. »

La "phyllo" grecque m'inspirant beaucoup, j'ai mis au point une préparation – 20 g de beurre, 20 g de miel, 1 cuillerée à soupe de jus d'orange, 1 cuillerée à soupe de jus de citron – dont je badigeonne trois feuilles que je superpose. Après les avoir passées au four à 250 °C, 4 à 5 min, je les brise et pique ces éclats dans une bavaroise à la vanille entourée d'un coulis de framboise (recette p. 220).

DÉCOUPEZ chaque feuille de pâte en douze carrés; garnissez-en 12 petits moules à brioche côtelés de 6 cm de diamètre, en froissant la pâte; poudrez-la de sucre glace; mettez les petits moules sur une plaque et glissez-les au four à 250 °C, pour 8 à 10 min, le temps que la pâte colore et caramélise. Laissez refroidir avant de démouler. Utilisez ces petits fonds de pâte croustillante et aérienne pour servir glaces et sorbets assortis: ils se conservent une douzaine d'heures à température ambiante.

La pâte à farcir grecque "phyllo" (feuille) se vend en grandes feuilles rectangulaires de 40 x 30 cm, empilées et roulées sur elles-mêmes, d'une finesse remarquable, légérissimes, plus fines et aussi plus fragiles que les feuilles de "brick", originaires du Moyen-Orient et d'Afrique du Nord, qui se présentent sous forme de grands disques de 30 cm, plus épais et plus résistants. Les résultats que l'on obtient avec l'une et l'autre pâte étant très différents, elles ne peuvent être comparées. Avec la feuille de "brick", par exemple, il est impossible d'obtenir cette sorte de feuilletage caramélisé qui peut servir de support à une ou plusieurs glaces ou à des bananes poêlées et une mousse au chocolat... Voici comment réaliser ce feuilletage express, particulièrement délicieux: sur une couche de pâte "phyllo" badigeonnée de beurre fondu et poudrée de sucre glace ou de sucre glace et de cacao, posez une deuxième couche de pâte préparée de la même manière, puis une troisième simplement beurrée. Coupez cette triple couche de pâte en rectangles ou en carrés, que vous poudrez aussitôt de sucre glace avant de les faire caraméliser au four à 250 °C, pendant 5 à 6 min.

GLACE À LA PISTACHE

pour 1 litre de glace :

- 1/2 litre de lait frais entier
- 1 dl de crème liquide
- 50 g de pistaches de Sicile mondées
- 60 à 70 g de pâte de pistache
- 100 g de sucre semoule
- 25 g de glucose
- 6 jaunes d'œufs

Cette glace très onctueuse et très parfumée est parfaite pour accompagner une poêlée chaude de griottes ou de cerises noires mélangées, assaisonnées d'un nuage de poivre noir fraîchement moulu.

FAITES très légèrement griller les pistaches, au four, à 170 °C, sur une plaque, pendant 10 à 12 min ; laissez-les refroidir, puis râpez-les grossièrement, dans une râpe cylindrique munie de la grille à gros trous, ou hachez-les au couteau.

Faites bouillir le lait avec la crème ; ajoutez-y la pâte de pistache – plus ou moins selon le goût – en tournant avec une spatule pour la dissoudre, puis le glucose, sans cesser de tourner, et les pistaches râpées : laissez infuser 15 min.

Dans une terrine, fouettez les jaunes d'œufs avec le sucre ; délayez avec le lait parfumé puis faites cuire et refroidir cette crème comme une crème anglaise (recette p. 129). Le lendemain, faites-la glacer en sorbetière, sans l'avoir filtrée au préalable. Servez cette glace seule ou avec une glace vanille et une sauce chocolat (recette p. 231). Notez que la pâte de pistache se trouve toute prête, en boîte, chez les fournisseurs spécialisés pour pâtissiers et glaciers.

SORBET AU CITRON

pour 1 litre de sorbet :

- 1/4 de litre de jus de citron
- 1/4 de litre de lait frais entier
- 1/4 de litre d'eau
- 250 g de sucre semoule

FAITES bouillir l'eau et le sucre dans une casserole. Laissez refroidir ce sirop ; ajoutez-y le lait et le jus de citron, puis versez la préparation dans une sorbetière et faites-la glacer. Si cela vous est possible, servez le sorbet aussitôt qu'il sera pris : il sera meilleur... Si vous devez l'utiliser beaucoup plus tard, réservez-le dans des bacs, au congélateur, mais veillez à ne pas le servir trop ferme. Accompagnez-le de fruits rouges en été, de fruits exotiques en hiver et servez-le seul, ou avec un sorbet à la fraise, avec des fraises nature ou en salade, par exemple.

« Servez ce sorbet dans des coques de citron entières, confites selon la méthode des zestes de pamplemousse (recette p. 199). »

J'aime beaucoup ce sorbet que j'ai mis au point récemment et dont la consistance originale, onctueuse et tendre, à mi-chemin entre celle d'un sorbet classique et celle d'une glace, est due à la présence de lait.

149

FRESSINETTES, BANANES NAINES DE LA
MARTINIQUE : LEUR PEAU EST FINE, LEUR CHAIR DOUCE,
DÉLICATEMENT SATINÉE.

SORBET EXOTIQUE

pour 1,5 litre de sorbet :

- 150 g de purée de banane
- 150 g de purée d'ananas
- 150 g de purée de mangue
- 150 g de purée de fruit de la Passion
- 200 g de purée d'abricot
- 3 dl de jus de citron vert
- 1 g (4 pincées) de cannelle de Ceylan en poudre
- 1 g (4 pincées) de clou de girofle en poudre
- 2 g (8 pincées) de poivre noir fraîchement moulu
- 300 g de sucre semoule

MÉLANGEZ les purées, jus et épices et faites prendre la préparation dans une sorbetière. Servez le sorbet pas trop ferme dans des coupelles ou des tulipes (recette p. 115), seul ou accompagné de fruits rouges ou d'autres sorbets aux fruits rouges – fraises, fraises des bois, framboises (recettes p. 154 et 155) –, ou avec un baba au rhum (recette p. 86).

« Amusez-vous à n'utiliser – en proportions variables – que 2, 3 ou 4 de ces fruits, sans toutefois supprimer jus de citron vert et épices, indispensables pour en rehausser le goût et en exalter le parfum : les unes et les autres, originaires des mêmes régions, se complètent harmonieusement en goûts et en saveurs. »

Pour éviter qu'ils ne s'oxydent, mixez la banane ainsi que l'abricot avec 3 cuillerées à soupe de jus de citron vert ; cette précaution est inutile pour la mangue. Les purées d'ananas et de fruit de la Passion s'obtiennent très facilement dans une centrifugeuse. Comptez 250 g de chair d'ananas et 500 g de fruits de la Passion (pesés entiers) pour obtenir 150 g de sirupeux nectar de l'un et de l'autre de ces fruits.

151

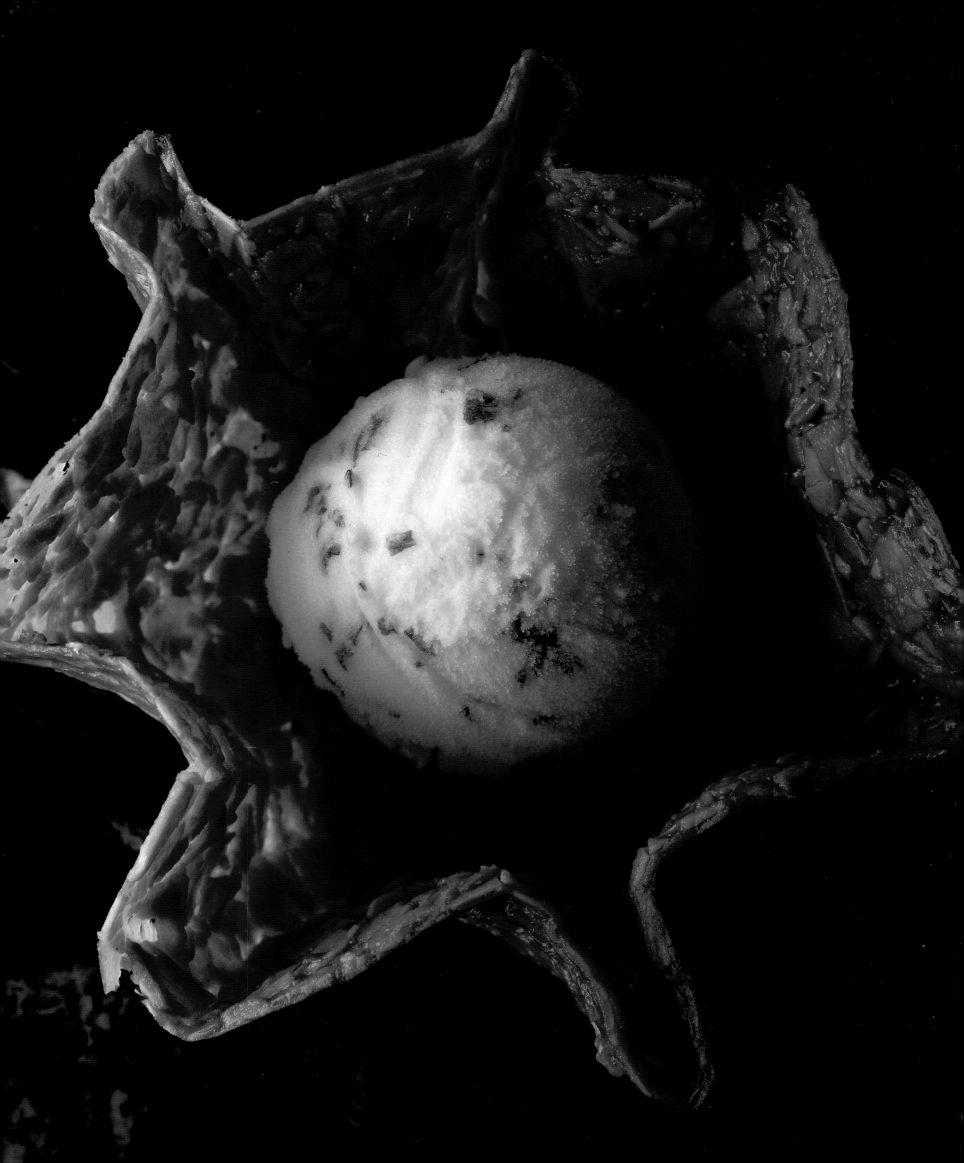

SORBET AU CITRON VERT
ET AU BASILIC
pour 3/4 de litre de sorbet :

• 2 dl de jus de citron vert
• 250 g de sucre semoule
• 3 dl d'eau

• le zeste d'1/2 orange
• 1 pomme granny-smith de 150 g
• 8 feuilles de basilic "grand vert"

« Vous pouvez présenter ce sorbet, seul ou avec des fruits, dans une tulipe moulée dans un bol (photo ci-contre) : il s'agit d'une croustillante nougatine aux amandes effilées préparée selon la recette de la "nougatine aux amandes hachées et au cacao" (recette p. 185). »

L A veille, pelez la pomme et coupez-la en petits cubes. Dans une casserole, mettez le sucre et l'eau ; ajoutez les cubes de pomme et le zeste d'orange ; portez à ébullition. Laissez bouillir 1 min puis retirez du feu et ajoutez 3 feuilles de basilic hachées. Couvrez. Laissez infuser 8 à 12 heures.

Au bout de ce laps de temps, filtrez la préparation ; ajoutez-y le jus de citron vert puis faites prendre le sorbet en sorbetière ; lorsqu'il est presque pris, ajoutez-y les 5 feuilles de basilic hachées. Cinq à dix minutes plus tard, le sorbet est prêt à être servi.

Avec ce sorbet, je prépare un dessert estival composé d'une salade de fruits (recette p. 203) nappée d'un sirop parfumé au basilic et additionné de jus d'abricot et de feuilles de basilic ciselées ; je pose une boule de sorbet au centre et j'y plante des arlettes (recette p. 145) ou bien j'écrase des fraises des bois avec un peu de sucre et de jus de citron vert et j'y ajoute des fraises coupées en quartiers.

Si vous trouvez des combavas, ces petits citrons verts en forme de poire, à l'écorce grenue et fripée, très parfumés, très utilisés dans la cuisine thaïe, remplacez dans ce sorbet 10 % de jus de citron vert par 10 % de jus de combava.

153

SORBET À LA FRAISE

pour 1,2 litre de sorbet :

- 1,2 kg de fraises mûres et parfumées
- 3 cuillerées à soupe de jus de citron
- 200 g de sucre semoule

LAVEZ les fraises ; égouttez-les à fond ; équeutez-les ; mixez-les avec le jus de citron dans le bol d'un robot équipé de la lame en Inox : vous devez obtenir un litre de purée de fraise. Ajoutez-y le sucre et mélangez jusqu'à ce qu'il fonde. Faites glacer en sorbetière.

Servez ce sorbet froid mais pas trop ferme pour mieux apprécier la saveur des fruits.

Vous réaliserez de la même manière un sorbet aux fraises des bois. Or ces délicieux petits fruits sont, contrairement aux fraises des jardins, pourvus de nombreux akènes dotés d'une grande amertume, que l'on ne sent pas au palais lorsqu'on les croque mais qui se répand dans le jus des fruits lorsqu'on les mixe. Pour éviter cela, il faut congeler les fruits à plat, puis les verser sur un tamis fin et les faire rouler les uns contre les autres sous la paume de la main : ainsi, les akènes se détachent des fruits et passent à travers le fin grillage ; il ne reste plus qu'à attendre quelques minutes avant de confectionner le sorbet. Pour parfaire la suavité de ce sorbet, remplacez 20 % de purée de fraise des bois par du jus de groseille.

Pour obtenir un sorbet très parfumé, utilisez des fraises de la variété "gariguette", "mara des bois", ou les sublimes – et trop rares – fraises de Plougastel. Servez ce sorbet dans des tulipes (recette p. 115), seul ou en compagnie d'un ou de plusieurs autres sorbets. Notez que le sorbet exotique (recette p. 151) l'accompagne très harmonieusement, ainsi qu'une compote de rhubarbe (1 kg de rhubarbe en cubes + 100 g de sucre : macérée 8 heures, égouttée, cuite à la vapeur 10 à 12 min – pour la couleur – refroidie).

SORBET À LA FRAMBOISE

pour 1,2 litre de sorbet :

• 1,3 kg de framboises   • 250 g de sucre semoule

POUR confectionner ce sorbet, utilisez des fruits mûrs très parfumés, qu'il faudra débarrasser de leurs pépins : pour cela, passez-les au tamis de Nylon qui vous permettra d'obtenir un maximum de purée de fruits, qu'il sera inutile de filtrer puisque les pépins seront restés sur le fin grillage du tamis... Si vous aviez la tentation d'utiliser un moulin à légumes, renoncez-y, car il ne faut pas mettre en contact ces fruits très acides avec des ustensiles oxydables.

Vous pouvez aussi passer les framboises dans une centrifugeuse : vous obtiendrez 1 litre de jus. Ajoutez-y le sucre et laissez-le fondre en tournant avec une spatule. Faites glacer en sorbetière.

« Procédez de la même manière pour obtenir de la purée de framboise nécessaire à la confection des coulis, crèmes et mousses. »

Le sorbet à la framboise peut être accompagné de framboises fraîches et d'un coulis de framboise (recette p. 220), de fruits d'été – pêche, abricot – ou de fruits exotiques – mangue, ananas. Il peut aussi être servi avec un sorbet exotique (recette p. 151).

155

L'
AMANDE

AMYGDALA, l'amande, est une graine généreuse, que l'on peut croquer fraîche, délicate, encore laiteuse dans sa tendre coque verte, sous une enveloppe jaune couleur du soleil dont elle est fille ; ou sèche, après avoir brisé sa coque devenue brune et ligneuse, alors que la graine est ferme et croquante dans sa robe elle aussi devenue brune.

Les amandes à croquer, dites "douces", sont issues d'amandiers poussant en Italie et en Espagne, les amandiers de Provence et des États-Unis produisant souvent des amandes amères, précieuses en pâtisserie et en parfumerie. Autrefois – comme rien, sauf leur saveur, ne les distingue –, on pouvait trouver des amandes amères mêlées à des amandes douces puisqu'elles poussaient sur le même arbre ; aujourd'hui, les unes et les autres proviennent d'arbres différents. L'amande amère est immangeable, toxique lorsqu'elle est consommée en grande quantité ; pour accentuer le goût de l'amande douce, Pierre Hermé ajoute à la pâte de ses macarons, dacquoises, pains de Gênes et petits-fours – quelques pincées de poudre d'amande amère mêlée à la poudre d'amande douce ; et il coule quelques gouttes d'extrait naturel d'amande amère dans les préparations liquides.

Fruit de la gourmandise, étonnante amande : elle revêt diverses formes pour devenir l'un des ingrédients les plus importants de la pâtisserie. En poudre, seule ou juste mêlée à un soupçon de fécule, du sucre et des blancs d'œufs, elle constitue la base de gâteaux délicats et exquis dont la saveur et l'onctuosité seraient impossibles à obtenir sans amande. Hachée, l'amande entre dans la composition des framboisines,

157

cousines des abricotines aux amandes effilées, se mêle au sucre caramélisé pour donner de la nougatine, garnit les pâtes à choux, paris-brest et autres gourmandises, associée à du sucre-grain de même calibre.

Effilée, l'amande trouve mille usages : suprême raffinement, Pierre Hermé utilise des amandes effilées de deux épaisseurs différentes. Les plus épaisses, enrobées de miel, beurre et sucre, composent la croustillante garniture du nid d'abeille et remplacent les traditionnelles amandes entières dont on garnit le kugelhopf et que Pierre Hermé trouve trop lourdes par rapport à l'aérienne texture de la pâte. Les plus fines sont destinées à la nougatine, aux abricotines, aux tuiles et au décor. Les unes et les autres, selon les recettes, sont grillées ou non au préalable : le rôtissage révèle et accentue le goût des amandes ; il transforme leur texture croquante en texture croustillante, leur donne un parfum chaud, irrésistiblement boisé.

Quant aux amandes entières, exquises enrobées de caramel ou de chocolat, parfaites dragées, pralines délicates, nougats tendres et croquants, faut-il les monder avant de les utiliser ?

Certains pâtissiers et confiseurs pensent que la petite peau brune qui les enrobe apporte un goût agréable aux préparations dont elles sont l'ingrédient principal. Ce n'est pas l'avis de Pierre Hermé, qui préfère les monder : « La petite peau brune n'a en fait pas beaucoup de goût, elle est très sèche, un peu âcre, colle au palais et sent la poussière lorsque l'amande a été décortiquée depuis trop longtemps. » Pour les monder, il faut plonger les amandes trente secondes dans de l'eau bouillante puis dans de l'eau froide et la peau se détache toute seule lorsqu'on pince les amandes entre le pouce et l'index ; ensuite, il faut les laisser sécher quelques heures à température ambiante, sur un linge.

Lorsqu'on doit les incorporer à du caramel, qu'elles soient entières, hachées ou effilées, et qu'il n'est pas nécessaire de les faire griller, il est utile de faire chauffer les amandes, afin que la masse de sucre, au contact d'un ingrédient froid, ne se solidifie pas... Quelques minutes dans un four doux suffiront.

Quant à la pâte d'amande, pas seulement décor mais base elle aussi de nombreux gâteaux – pains de Gênes, génoises, petits-fours et macarons dont la pâte est plus dense que celle que l'on obtient avec de la poudre, il vaut mieux la préparer chez soi selon la recette de Pierre Hermé figurant dans cet ouvrage, car les pâtes d'amande du commerce contiennent peu d'amande et beaucoup de sucre. Pierre Hermé utilise quatre tonnes de pâte d'amande par an : il lui est donc impossible de la préparer lui-même. Sa préférée vient d'Allemagne : une pâte confectionnée selon la méthode de Lübeck, qui contient 60 % d'amandes mondées et mélangées à du sucre avant d'être broyées puis cuites dans de petits cuiseurs, par trente ou quarante kilos à la fois, pour éviter d'exposer trop longtemps les amandes à la chaleur, ce qui leur ferait perdre beaucoup de goût. La variété des amandes utilisées pour cette pâte exceptionnelle, délicatement fruitée, au très léger parfum d'amande amère, s'appelle "Bari", du nom de la ville italienne des Pouilles dont elle est originaire.

Chaque variété d'amande ayant des qualités spécifiques, Pierre Hermé en utilise plusieurs parmi lesquelles sa préférée reste la "Marcona", une petite amande espagnole d'aspect un peu ingrat, ronde et trapue, mais de goût très subtil, légèrement amer, qui a la particularité de n'être pas trop grasse et convient donc à merveille pour macarons et pralinés. Plus jolie que la "Marcona", la "Valencia", longue, plate et fine, a un goût délicat et un parfum suave : Pierre Hermé l'utilise sous toutes ses formes, entière, effilée, hachée, en poudre. Quant à l'italienne "Avola", plate, à l'ovale parfait, elle est moins savoureuse mais donne de très belles et très bonnes dragées, puisque la fine pellicule de sucre dont on l'enrobe non seulement ne masque pas mais exalte son goût.

L'amande entre dans la composition d'un délicieux sirop, l'orgeat, qui devient laiteux lorsqu'on l'allonge d'eau, d'où son surnom de "lait d'amande", que Pierre Hermé utilise à des fins pâtissières. Il est composé de sucre, d'amandes mondées douces et amères, finement broyées, allongé d'eau puis filtré et parfumé, selon les cas, d'eau de fleurs d'oranger ou de zeste de citron.

Mais là ne s'arrêtent pas les performances des graines – qui donnent aussi une huile précieuse – d'un arbre sauvage du Moyen-Orient, qui fleurit dans tout le bassin méditerranéen, plus que les autres arbres, pour apporter – dit la légende – le bonheur aux humbles.

159

MACARONS

pour 20 gros ou 80 petits macarons :

POUR LA PÂTE À MACARONS
DE BASE :
• 480 g de sucre glace
• 280 g de poudre d'amande
• 200 g de blancs d'œufs
POUR LES GOÛTS ET
LES COULEURS :
• 40 g de cacao en poudre pour les
macarons au chocolat
• 1 cuillerée à café de vanille en poudre
pour les macarons à la vanille

• 6 gouttes de colorant vert pour les
macarons à la pistache
• 6 gouttes de colorant jaune et
1 zeste de citron très finement haché
pour les macarons au citron
• 1/2 cuillerée à café d'extrait liquide
de café pour les macarons au café
• 6 gouttes de colorant carmin pour
les macarons à la framboise
• 3 gouttes de colorant rose pour les
macarons à la rose, etc.

TAMISEZ ensemble le sucre glace et la poudre d'amande ; si vous devez confectionner des macarons au chocolat, tamisez aussi le cacao.
Fouettez les blancs en neige ferme dans une grande terrine ; colorez-les selon le type de macaron que vous avez choisi de réaliser et ajoutez-y, éventuellement, le parfum adéquat. Vous pouvez, bien sûr, panacher les macarons en composant plusieurs pâtes de base, en plus ou moins grande quantité et en les colorant en conséquence.
Versez très rapidement, en pluie, le mélange sucre-amande dans les blancs, en les ramenant du milieu vers les bords, à l'aide d'une corne, sans les tourner ni les casser, tout en faisant tourner la terrine. La pâte, lorsqu'elle est homogène, est presque coulante : les blancs – qui n'ont pas été sucrés pour ne pas donner un goût de meringue aux macarons – sont un peu retombés ; ce n'est pas un défaut, bien au contraire, car cela évitera que les macarons, à la cuisson, ne forment une petite coque sèche comme une meringue. Faites couler la pâte dans une poche munie d'une douille lisse n° 8 pour des petits macarons de 2 cm de diamètre ou n° 12 pour des gros, de 7 cm de diamètre. Déposez les macarons sur une plaque revêtue de papier siliconé posée sur une autre plaque : deux plaques, l'une sur l'autre, évitent que les macarons ne chauffent trop en dessous, ne gonflent exagérément et ne se fendillent. Laissez les macarons reposer 1/4 d'heure à température ambiante afin qu'une petite croûte se forme en surface, avant de les faire cuire dans un four à chaleur pulsée à 140 °C ou dans un four traditionnel à 250 °C aussitôt baissé à 180 °C, 18 à 20 min pour les gros, 10 à 12 min pour les petits. Dans un four traditionnel, la porte doit rester entrouverte car les macarons doivent cuire dans une atmosphère sèche. Lorsqu'ils sont cuits, versez un peu d'eau sous le papier siliconé : le dégagement de vapeur qu'elle provoque permet aux

II n'est pas difficile d'obtenir de beaux macarons, mais de très nombreux aléas peuvent entraver leur réussite. Par exemple, des blancs d'œufs trop frais – mieux vaut utiliser des blancs qui ont été conservés 3 jours à température ambiante –, des amandes trop grasses qui alourdissent la pâte et laissent en surface des traces grasses, un four mal adapté, etc.

macarons de se détacher très facilement. Laissez-les refroidir sur une grille. Garnissez un macaron refroidi de confiture, de crème ou de ganache qui lui convient sur la partie plate ; posez un second macaron par-dessus et ainsi de suite. Lorsqu'ils sont prêts, rangez les macarons, debout, sur un plateau, recouvrez-les d'un film et réservez-les au réfrigérateur : vous les en retirerez deux jours après seulement pour les déguster.

Pour fourrer des macarons au chocolat, utilisez une ganache (recette p. 229) ; pour des macarons à la pistache, une crème au beurre à la pistache (recette p. 73) ; pour des macarons au café, une crème au beurre au café (recette p. 73) additionnée, à volonté, de poudre de noix ; pour des macarons à la vanille, une crème au beurre nature (recette p. 73) additionnée de graines de plusieurs gousses de vanille ; pour des macarons au citron, une crème au citron (recette p. 119) ; pour des macarons à la framboise, de la framboise-pépins (recette p. 221) ; pour des macarons à la rose, une crème au beurre nature (recette p. 73) additionnée d'eau de rose et de sirop de rose, etc.

Vous pouvez confectionner des macarons aux noisettes fourrés de crème au beurre pralinée, des macarons à la noix de coco fourrés de crème au beurre additionnée de noix de coco râpée à raison de 150 g de noix de coco pour 1 kg de crème, etc.

DANS LEURS INVOLUCRES VERTS AUX
BORDS DÉCOUPÉS, LES FRUITS FRAIS DU NOISETIER,
AKÈNES BLANCS, TENDRES ET DÉLICATS, SONT
TRÈS DÉCORATIFS.

ABRICOTINES

pour 40 petits fours :

- 100 g de poudre d'amande
- 100 g de sucre glace
- 15 g de farine
- 1 pincée de vanille en poudre
- 100 g de blancs d'œufs
- 100 g d'amandes effilées
- 150 g de chocolat "Guanaja"

POUR LA CONFITURE
D'ABRICOTS :
- 500 g d'abricots dénoyautés
- 450 g de sucre semoule
- 1 1/2 cuillerée à soupe de jus de citron
- 6 amandes d'abricot décortiquées
- 1 gousse de vanille de Tahiti

PRÉPAREZ la confiture un ou deux jours à l'avance : coupez les demi-abricots en lamelles de 1 cm ; mettez-les dans une terrine ; poudrez-les de sucre ; ajoutez-y le jus de citron ; mélangez ; laissez macérer 8 à 12 heures. Au bout de ce laps de temps, versez les abricots dans une passoire placée au-dessus d'une casserole ou une bassine en cuivre ou en Inox ; posez l'ustensile sur un feu moyen ; fendez la gousse de vanille, grattez-en l'intérieur avec un petit couteau ; ajoutez graines et gousse de vanille et amandes d'abricot dans le sirop de macération : faites-le cuire à 118 °C ; plongez-y les lamelles d'abricots ; faites-les cuire à 106 °C, 18 min environ.

Laissez la confiture refroidir complètement ; vous l'utiliserez en partie pour fourrer les abricotines, et réservez le reste pour les tartines du petit déjeuner ou pour accompagner un pain de Gênes (recette p. 170) à l'heure du goûter.

Préparez ensuite les abricotines : tamisez ensemble la farine, la poudre d'amande, le sucre glace et la vanille. Dans un cul-de-poule, fouettez les blancs en neige ; ajoutez-y le mélange en soulevant délicatement la préparation ; glissez-le dans une poche munie d'une douille n° 8 : sur deux plaques revêtues de papier siliconé sous lequel vous aurez glissé une feuille de carton ondulé afin que les petits gâteaux restent très moelleux, déposez des boules de 1,5 cm de diamètre, espacées les unes des autres de 2 cm ; poudrez d'amandes effilées, puis faites basculer la ou les plaques à la verticale, pour éliminer les amandes qui n'auraient pas adhéré à la pâte. Faites cuire les petits gâteaux au four à 180 °C, porte du four entrouverte, pendant 15 min. À leur sortie du four, retirez les petits gâteaux de la plaque ; creusez-les, côté plat, en enfonçant l'index dans la mie ; remplissez une coque sur deux de confiture d'abricot, en dôme, et recouvrez-la d'une autre coque vide. Lorsque les abricotines sont prêtes, faites fondre le chocolat à 55 °C, tempérez-le (voir méthode p. 208) et trempez-les à demi dedans. Laissez-les refroidir sur une plaque revêtue de papier siliconé.

Vous pouvez remplacer les amandes effilées par des amandes hachées et la confiture d'abricot par de la framboise-pépins (recette p. 221).

CRÈME D'AMANDE
pour 900 g environ de crème :

- 135 g de beurre
- 165 g de sucre glace
- 165 g de poudre d'amande
- 10 g de Maïzena
(2 cuillerées à café)
- 1 cuillerée à soupe de rhum brun agricole
- 2 œufs
- 300 g de crème pâtissière (recette p. 128)

MÉLANGEZ le sucre glace, la poudre d'amande et la Maïzena ; tamisez-les. Mettez le beurre dans une terrine ; malaxez-le avec une spatule afin qu'il s'assouplisse, sans le faire mousser : lorsque le beurre est trop aéré, la crème d'amande lève pendant la cuisson puis s'affaisse en se déformant ! Lorsque le beurre a la consistance voulue, ajoutez-y le mélange amande-sucre-Maïzena, puis les œufs, un à un, sans cesser de tourner avec la spatule, en attendant que le premier œuf soit incorporé avant d'ajouter le suivant. Versez ensuite le rhum et enfin la crème pâtissière.

Lorsque la préparation est homogène, cessez de la travailler ; recouvrez-la d'un film et réservez-la au réfrigérateur jusqu'au moment de l'utiliser : vous la conserverez 36 ou 48 heures, à 4 °C. Vous pouvez congeler cette préparation, mais sans y avoir ajouté la crème pâtissière : celle-ci doit être incorporée à la préparation décongelée, juste avant l'utilisation de la crème d'amande.

ABLE

à
GÊNES

PAIN DE GÊNES

pour 2 gâteaux :

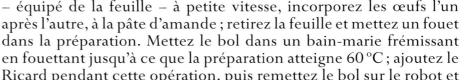

- 400 g de pâte d'amande nature (recette p. 186)
- 6 œufs
- 100 g de farine type 55
- 3 g de levure chimique (1/2 cuillerée à café)
- 1 cuillerée à soupe de Ricard
- 120 g de beurre

POUR LES MOULES :
- 25 g de beurre mou

« En Ligurie, l'un des gâteaux les plus connus s'appelle "pasta genovese", littéralement "gâteau génois". Sa composition est très proche de ce gâteau. On le déguste avec des vins de dessert. »

Le pain de Gênes révèle son bon goût d'amande seulement deux jours après sa confection, et encore bien longtemps après. Vous pouvez le fourrer de crème au beurre ou de ganache, ou l'utiliser pour la préparation des entremets, bien que sa texture soit plus lourde et plus serrée que celle d'une génoise ou d'un biscuit à la cuillère. Le pain de Gênes est délicieux avec des confitures et particulièrement bon trempé dans le café.

POUR réaliser ce gâteau assez délicat, il est nécessaire d'utiliser un robot pétrisseur équipé d'un grand bol, d'une feuille et d'un fouet-boule.

Mettez la pâte d'amande – qui doit être d'une excellente qualité ; au besoin, confectionnez-la vous-même en vous reportant à la recette (p. 186) – dans le bol du robot. En faisant tourner l'appareil – équipé de la feuille – à petite vitesse, incorporez les œufs l'un après l'autre, à la pâte d'amande ; retirez la feuille et mettez un fouet dans la préparation. Mettez le bol dans un bain-marie frémissant en fouettant jusqu'à ce que la préparation atteigne 60 °C ; ajoutez le Ricard pendant cette opération, puis remettez le bol sur le robot et fouettez – avec le fouet-boule – jusqu'à ce que la préparation soit très mousseuse, légère et froide. Retirez alors le bol de son socle. Pendant ce temps, faites fondre le beurre dans une casserole ; ajoutez-y un peu du contenu du bol. Incorporez lentement la farine dans le bol, en soulevant la pâte avec une spatule, en partant du centre et en faisant tourner le bol entre vos mains.

Beurrez deux moules de 20 cm de diamètre à bords côtelés ; répartissez la préparation dans les moules. Faites cuire les gâteaux au four, à 180 °C, pendant 30 min. Vérifiez-en la cuisson avec la pointe d'un couteau glissée au centre : elle doit en ressortir sèche. Lorsque les gâteaux sont cuits, démoulez-les sur du papier siliconé ou sulfurisé et laissez-les refroidir. Lorsqu'ils sont froids, enveloppez-les d'un film.

FINANCIERS

pour 16 gros ou 45 petits gâteaux :

- 150 g de sucre glace
- 50 g de farine
- 60 g de poudre d'amande
- 20 g de poudre de noisette

- 3 blancs d'œufs
- 140 g de beurre

POUR LES MOULES :
- 50 g de beurre très mou

FAITES fondre le beurre jusqu'à la couleur noisette claire ; laissez-le refroidir.

Pour développer son arôme, faites très légèrement griller la poudre de noisette au four, à 160 °C, pendant 12 min ; versez-la dans un bol et laissez-la refroidir.

Dans une terrine, mélangez le sucre glace, la farine, la poudre d'amande et la poudre de noisette. Ajoutez les blancs d'œufs en tournant vivement avec un fouet ; incorporez enfin le beurre noisette, sans cesser de fouetter. Lorsque le mélange est homogène, répartissez-le dans des moules à financiers traditionnels, grands ou petits, préalablement beurrés..., mais vous pouvez aussi verser la pâte dans des caissettes en papier de dimensions diverses.

Faites cuire les financiers au four chaud à 220 °C, de 15 à 20 min selon leur taille. Servez-les de préférence juste refroidis, avec le café.

« À défaut de poudre de noisette, remplacez-la par la même quantité de poudre d'amande et ajoutez à la pâte quelques gouttes d'extrait naturel d'amande amère, mais le résultat est moins surprenant. »

La petite quantité de poudre de noisette renforce, sans le dominer, le goût de l'amande qui devient plus subtil...

171

TUILES À L'ORANGE
AUX AMANDES HACHÉES
pour 40 à 45 tuiles :

- 1 zeste d'orange non traitée
- 100 g de sucre semoule
- 15 g de farine
- 20 g de jus d'orange
- 100 g d'amandes hachées
- 80 g de beurre fondu froid

NE gardez du zeste d'orange que la partie colorée de l'écorce ; retirez la partie blanche, amère ; hachez-le très finement ; mettez-le dans une terrine avec le sucre, la farine et les amandes hachées ; mélangez avec une spatule en ajoutant le jus d'orange puis le beurre fondu. Laissez reposer la pâte 8 à 24 heures au réfrigérateur.

Disposez la pâte par cuillerées à café sur des plaques antiadhésives ; aplatissez-la le plus finement possible avec le dos de la cuillère ; laissez entre chaque tuile un espace d'au moins 2 cm.

Faites cuire les tuiles au four chaud, à 150 °C, 15 à 18 min : elles doivent être uniformément dorées. Retirez-les de la plaque en les soulevant avec une spatule et laissez-les refroidir sur une grille.

Servez-les avec le café ou avec des glaces et des entremets glacés ; ou utilisez-les pour composer des desserts.

« Ces tuiles étant très friables, n'essayez pas de les faire trop grandes : 6 à 7 cm de diamètre au maximum. »

Pour plus de facilité, vous pouvez râper une orange sur une râpe à gros trous en effleurant juste l'écorce pour ne pas entamer la partie blanche du zeste, mais le goût sera plus prononcé, voire un peu amer...

173

TUILES
AUX AMANDES EFFILÉES

pour 40 petites ou 25 grandes tuiles :

- 125 g d'amandes effilées
- 125 g de sucre semoule
- 2 blancs d'œufs
- 25 g de beurre
- 20 g de farine
- 1 goutte d'extrait naturel d'amande amère
- 2 pincées de vanille en poudre

« Lorsqu'elles sont cuites mais pas encore refroidies, donc encore très molles, vous pouvez mouler ces tuiles – de 10 à 12 cm de diamètre – dans des bols où elles prendront la forme de corolles. Vous pourrez ensuite garnir ces "tulipes" de chantilly dans laquelle vous piquerez des fraises des bois ou des framboises et les servirez avec le café. »

Cette pâte n'est pas fragile. Avec elle, vous pouvez confectionner de très grandes tuiles, très spectaculaires, jusqu'à 20 cm de diamètre. Soulevez-les, lorsqu'elles sont cuites et encore molles, avec une corne et laissez-les refroidir sur une bouteille de vin de Bordeaux pour leur donner leur forme caractéristique...

METTEZ les amandes, le sucre, la vanille, l'extrait d'amande amère et les blancs d'œufs dans une terrine ; faites fondre le beurre dans une petite casserole et versez-le, chaud, dans la terrine, en tournant avec une spatule. Continuez de tourner jusqu'à ce que le mélange soit homogène. Couvrez la terrine d'un film et mettez-la 24 heures au réfrigérateur.

Lorsque la pâte a reposé, incorporez-y la farine en la tamisant. Mélangez encore.

Répartissez la pâte par cuillerées à café sur des plaques antiadhésives ; aplatissez-la le plus finement possible avec le dos d'une cuillère à soupe trempée dans de l'eau froide, en ne craignant pas de voir la pâte s'étaler comme de la dentelle... Laissez entre chaque tuile un espace d'au moins 3 cm. Faites cuire les tuiles au four, à 150 °C, 15 à 18 min : elles doivent être uniformément dorées. Retirez-les de la plaque en les soulevant avec une corne et laissez-les refroidir sur une grille.

Servez ces tuiles pour accompagner glaces, sorbets et desserts glacés et avec le café.

174

DACQUOISE
pour 480 g de pâte :

• 135 g de poudre d'amande
• 150 g de sucre glace

• 50 g de sucre semoule
• 150 g de blancs d'œufs

MÉLANGEZ le sucre glace et la poudre d'amande ; tamisez-les. Dans une terrine, fouettez les blancs d'œufs ; ajoutez-y le sucre semoule en trois fois ; fouettez encore jusqu'à ce que vous obteniez une meringue souple ; ajoutez-y le mélange sucre glace-poudre d'amande, en soulevant délicatement la préparation avec une spatule, et non en la fouettant.

Dessinez deux cercles de 22 cm de diamètre sur une ou deux plaques revêtues de papier siliconé. Faites glisser la pâte dans une poche munie d'une douille lisse n° 9 ou n° 10 et remplissez les cercles de pâte, en partant du centre et en formant une spirale. Dès lors, deux solutions se présentent à vous : soit glisser aussitôt la ou les plaques au four, soit procéder comme pour les meringues, en poudrant la dacquoise de sucre glace deux fois, à 15 min d'intervalle, pour la faire "perler". Faites cuire la dacquoise 35 min à 170 °C, porte du four entrouverte pour éviter que la dacquoise ne gonfle et ne retombe aussitôt, à cause de la buée concentrée dans le four.

Dresser la dacquoise sur une plaque à la poche à douille, c'est bien, la "chablonner", c'est mieux : en effet, le "chablonnage" consiste à remplir puis à retirer aussitôt un cercle de 22 cm et 1,5 cm de haut avec manche – un "chablon" – de pâte recueillie à la corne sur les bords de la terrine, c'est-à-dire de la manière la plus douce qui soit, sans écraser ni comprimer la pâte : ainsi, celle-ci cuit dans de très bonnes conditions, et, une fois cuite, elle reste résistante et moelleuse à la fois. La poudre d'amande peut être remplacée en partie par de la poudre de noix, de la poudre ou de la pâte de pistache, de la noix de coco râpée.

La dacquoise constitue la base de très nombreux entremets, généralement composés de deux disques de dacquoise entre lesquels on étale une crème mousseline aux noix pour une dacquoise aux noix (500 g de crème au beurre, 100 g de crème pâtissière, 40 g de porto, 50 g de noix hachées), une crème mousseline coco (recette p. 113) pour une dacquoise à la noix de coco que l'on peut parsemer de fruits exotiques, une crème à la pistache ou aux noisettes pour une dacquoise à la pistache ou aux noisettes, en ajoutant à de la crème au beurre bien "foisonnée" (aérée avec un fouet) de la pâte de pistache ou de noisette, en quantité variable selon le goût.

La dacquoise, qui donne son nom aux entremets auxquels elle sert de base, est meilleure 24 heures après sa préparation.

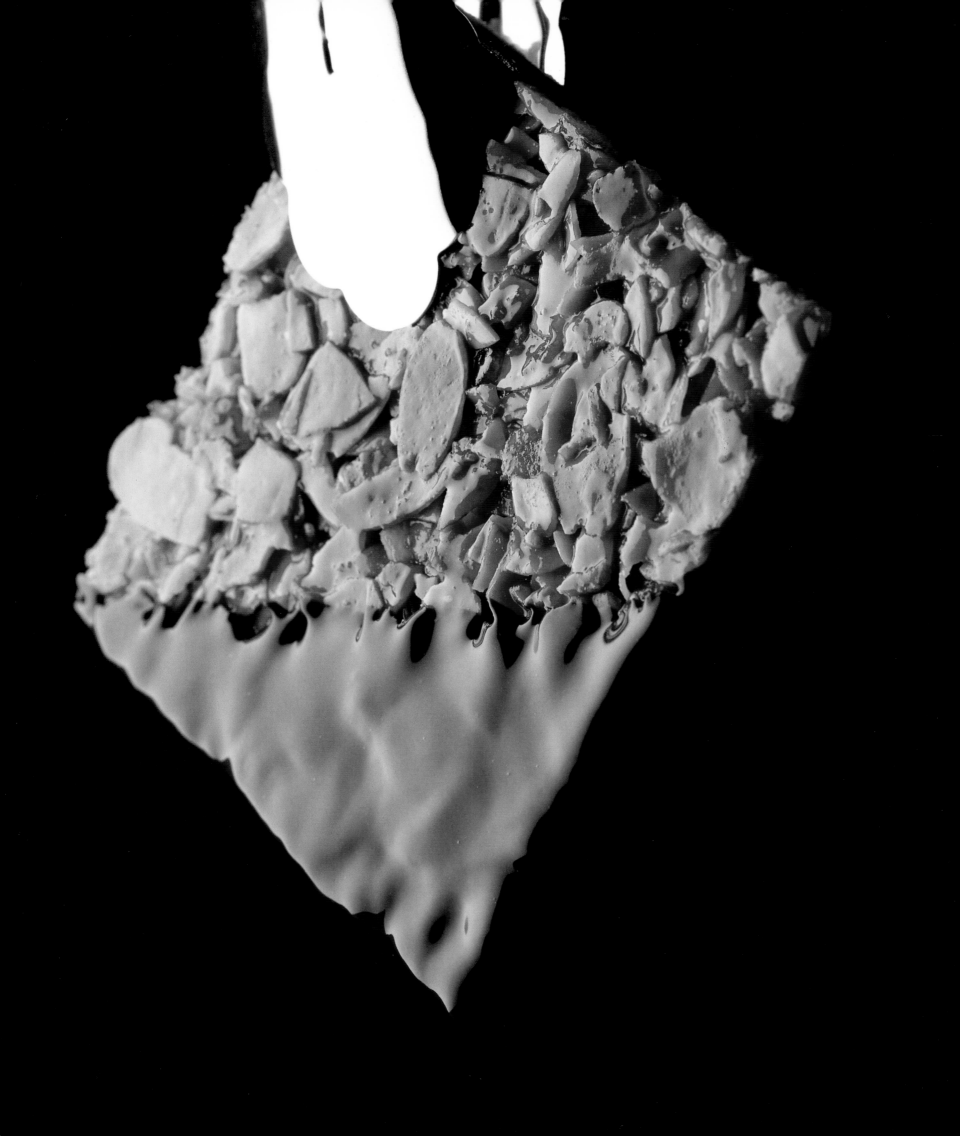

SABLÉS FLORENTINS
pour 100 petits fours :

- 1,2 dl de crème liquide
- 1 zeste d'orange finement haché
- 220 g de sucre cristallisé
- 10 g de glucose
- 9 cl d'eau
- 120 g de beurre

- 100 g de miel liquide
- 280 g d'amandes effilées
- 100 g d'écorce d'orange confite en petits cubes
- 400 g de pâte sucrée (recette p. 49)
- 300 g de chocolat "Guanaja"

ÉTALEZ la pâte sucrée sur une épaisseur de 2 mm ; piquez-la de nombreux coups de fourchette afin qu'elle ne se boursoufle pas pendant la cuisson ; garnissez-en une plaque à pâtisserie antiadhésive ; glissez-la au four à 180 °C ; faites-la cuire 15 min jusqu'à ce qu'elle soit blonde. Pendant ce temps, faites bouillir 1,2 dl de crème avec le zeste d'orange ; faites fondre le sucre cristallisé et le glucose avec l'eau, dans une casserole à fond épais, sur feu moyen. Faites cuire cette préparation jusqu'à ce qu'elle caramélise, en prenant une belle couleur ambrée, puis "décuisez-la", en y ajoutant le beurre puis la crème, en tournant avec une spatule. Laissez cuire jusqu'à 125 °C. Hors du feu, ajoutez les amandes effilées et les petits cubes d'orange confite ; mélangez. Versez cette préparation sur la pâte sortant du four, étalez-la le plus finement possible sur la pâte et remettez la plaque au four à 230 °C pour 10 à 12 min ; à sa sortie du four, laissez refroidir la pâte puis retournez la plaque sur le plan de travail et découpez la pâte en carrés de 3 cm : les "sablés florentins".

Faites fondre le chocolat au bain-marie ou au micro-ondes, puis tempérez-le (voir p. 208). Trempez à demi chaque florentin dans le chocolat, en diagonale. Posez les petits gâteaux sur du papier siliconé et laissez-les refroidir avant de les servir avec le café. Vous les conserverez plusieurs jours dans une boîte en métal, à l'abri de l'humidité dans un endroit frais.

NOUGATINE

pour 300 g de nougatine :

- 100 g de glucose
- 120 g de sucre semoule
- 100 g d'amandes hachées ou effilées
- 5 g de beurre demi-sel

« Notez qu'on peut préparer de la nougatine avec un mélange amandes-noisettes ou avec des noisettes uniquement, mais elle est alors plus fragile et rancit très vite. »

Ajouter dans le sucre quelques gouttes de jus de citron pour éviter qu'il ne cristallise est un palliatif très aléatoire, le meilleur anticristallisant restant le glucose, sucre inverti qui empêche le sucre semoule de "masser". De plus, j'ai noté qu'un sucre cuit au-dessus de 135 °C sans glucose dégage une désagréable odeur de paille et prend un goût tout aussi désagréable. Vous trouverez du glucose chez votre pharmacien.

FAITES griller les amandes sur une plaque, au four, à 170 °C, pendant 12 à 15 min. Faites fondre le glucose à feu doux sans le faire bouillir, sous peine d'obtenir une nougatine collante et difficile à travailler. Ajoutez-y le sucre et faites cuire le mélange jusqu'à 155/160 °C, c'est-à-dire au "grand cassé" : à cette température, on obtient un caramel qui casse net sous la dent, sans coller, lorsqu'on en prélève un peu sur la pointe d'un couteau ; en effet, se fier à la couleur, qui doit être ambrée, n'étant pas suffisant, il vaut mieux faire le "test du couteau", beaucoup plus sûr...

Lorsque le caramel est à la juste température, ajoutez-y les amandes encore chaudes – cela facilite le mélange – en tournant avec une spatule. Si vous ne devez pas conserver la nougatine, ajoutez-y le beurre demi-sel, qui arrondit sa texture et sa saveur.

Versez la nougatine sur une plaque antiadhésive ; étalez-la avec une spatule et laissez-la refroidir si vous ne devez pas l'utiliser tout de suite, ou l'utiliser froide. Vous pouvez aussi la poser sur un marbre très légèrement huilé, la laisser tiédir un peu et l'étaler au rouleau, un rouleau en fer, si possible, qui ne colle pas facilement, l'idéal étant le rouleau en buis, lisse au toucher, qui glisse facilement et ne s'abîme pas. Pour obtenir une belle texture, il faut replier plusieurs fois la nougatine sur elle-même pendant qu'on l'étale, en la pliant en deux de manière à faire venir vers le haut le côté qui est en contact avec le marbre. Une fois étalée très finement, découpez-la en cercles (à l'aide d'un emporte-pièce) ou en petits carrés (avec un couteau) que vous dégusterez tels quels ou après les avoir trempés dans du chocolat noir.

La nougatine se sculpte et se moule facilement pour devenir support de pièce montée, décor (coupe, corne d'abondance, panier, ruban, formes abstraites) ou fond de tartelette... Pilée, on l'ajoute à des ganaches ou des crèmes, ces dernières devant impérativement être riches en beurre, afin que la nougatine n'y fonde pas trop vite, comme elle le ferait dans une préparation très humide. Notez qu'il est possible de faire cuire le caramel jusqu'à 170 °C, pour obtenir un goût très corsé... et que, lorsque la nougatine a refroidi alors même qu'on est en train de la travailler, on peut l'assouplir en la passant au four à 150 °C : un four trop chaud la fait fondre.

CAKE CHOCOLATÉ
AUX FRUITS SECS

pour 1 cake de 28 cm :

- 140 g de pâte d'amande (recette p. 186)
- 165 g de sucre semoule
- 40 g de cacao en poudre
- 180 g de farine
- 1 cuillerée à café rase de levure chimique
- 70 g de chocolat "Guanaja" coupé en cubes de 0,5 cm
- 60 g de noisettes mondées
- 55 g d'amandes mondées
- 55 g de pistaches mondées
- 1,5 dl de lait
- 4 œufs
- 180 g de beurre fondu froid

POUR LE MOULE :
- 20 g de beurre

FAITES griller les amandes et les noisettes sur une plaque, au four à 170 °C, pendant 12 à 15 min ; concassez-les grossièrement. Tamisez ensemble la farine, la levure et le cacao. Dans la cuve d'un robot pétrisseur équipé de la feuille, mettez la pâte d'amande et le sucre ; faites tourner l'appareil à vitesse moyenne pour obtenir une sorte de sable puis ajoutez les œufs, un à un, et, lorsque le mélange est homogène, remplacez la feuille par le fouet-boule. Faites tourner l'appareil à grande vitesse, pendant 8 à 10 min, pour obtenir une émulsion, puis ajoutez le lait et le mélange farine-levure-cacao. Continuez de travailler à petite vitesse jusqu'à ce que la pâte soit homogène. Détachez la cuve du robot ; ajoutez dans la pâte, en la soulevant avec la corne, les noisettes et les amandes concassées, les pistaches entières, les cubes de chocolat et enfin le beurre fondu ; mélangez. Versez la pâte dans le moule et glissez-le au four, à 180 °C, pour 1 h à 1 h 10 environ. Lorsqu'une croûte se forme sur le cake, fendez-la tout du long avec la corne trempée dans du beurre fondu afin qu'il se développe harmonieusement. Lorsque le cake est cuit, laissez-le tiédir 10 min dans son moule puis démoulez-le sur une grille. Notez qu'il sera bon le lendemain et encore pendant une semaine.

Ce que j'aime dans ce cake, c'est le contraste des textures qu'offre sa pâte moelleuse constellée de fruits secs croustillants et de fondantes gouttes de chocolat. Ne le coupez donc pas en tranches trop fines.

ROUGES OU BLANCHES, LES GROSEILLES
SONT TRÈS DÉCORATIVES ; ACIDULÉES ET RICHES EN
PECTINE, ELLES DONNENT UNE IDÉALE GELÉE.

FRUITS DÉGUISÉS
AU SUCRE CUIT
pour 2 kg de fruits :

• 1 kg de noix décortiquées, kumquats, physalis, grains de raisins blancs ou noirs, etc.

POUR LE SUCRE CUIT :
• 500 g de sucre semoule
• 150 g de glucose
• 1,5 dl d'eau

METTEZ le sucre, le glucose et l'eau dans une grande casserole Inox ; posez-la sur un feu modéré et laissez cuire jusqu'à 155 °C : cette température correspond à la cuisson dite "au grand cassé". À ce stade, le sucre n'est pas encore caramélisé, sa couleur est d'un blond très pâle et il se brise comme du verre lorsqu'il est froid.

Dès le début de l'ébullition, nettoyez les bords intérieurs de la casserole avec un pinceau trempé dans de l'eau froide, car le moindre petit grain de sucre projeté sur les parois de l'ustensile peut faire cristalliser la masse, malgré la présence du glucose, anticristallisant très performant.

Lorsque la juste température est atteinte, trempez la casserole dans de l'eau froide pour arrêter la cuisson du sucre et posez-la sur un torchon plié en quatre, sur le plan de travail. Trempez les fruits de votre choix dans le sucre, très rapidement, en les tenant par la tige ou par les feuilles, ou piqués sur des bâtonnets que vous planterez sur une orange ou un pamplemousse. À chaque fois que le sucre refroidit et épaissit, faites-le légèrement chauffer, à feu très doux. Vous pouvez servir les fruits aussitôt ; dégustez-les dans la journée. Dans ce sucre cuit, vous pouvez aussi tremper des tranches de mandarine ou des morceaux d'ananas confits. Pour des fruits plus fragiles comme les groseilles, fraises, tranches d'orange, utilisez un sirop de canne à sucre dans lequel vous les plongerez avant de les rouler dans du sucre semoule ou de la cassonade blonde.

Après avoir fourré des pruneaux ou d'autres fruits secs ou oléagineux avec de la pâte d'amande (recette p. 186), je les enrobe non pas de "sucre cuit" mais de "sucre candi", un sirop préparé avec 1 kg de sucre et 4 dl d'eau bouillie 2 min en mouillant les bords de la casserole avec un pinceau. Je laisse refroidir ce sirop et je le verse sur les fruits bien séchés rangés dans un candissoir et couverts d'une grille : le sirop doit les recouvrir. Je les laisse ainsi 15 heures, couverts de papier sulfurisé pour éviter que ne se forme une croûte qui ferait cristalliser le sirop. Ensuite, j'égoutte les fruits et les laisse sécher 3 à 4 heures sur une grille avant de les servir. La pellicule de "sucre candi" dont ils sont enrobés tient deux semaines, et les fruits restent moelleux.

NOUGATINE DENTELLE
AU CACAO
pour 100 g de nougatine dentelle :

- 3 cuillerées à soupe de lait
- 125 g de beurre
- 50 g de glucose
- 150 g de sucre semoule
- 140 g d'amandes hachées
- 15 g de cacao en poudre

FAITES légèrement griller les amandes au four à 170 °C, sur une plaque, pendant 15 min. Dans une grande casserole Inox à fond épais, mettez le lait, le beurre, le sucre et le glucose – indispensable pour éviter que la masse ne cristallise. Posez la casserole sur un feu moyen. Faites cuire le mélange jusqu'à 106 °C, en tournant doucement avec une spatule, puis incorporez le cacao en poudre, en le tamisant, et les amandes hachées grillées, encore chaudes.

Étalez cette préparation le plus finement possible entre deux feuilles de papier siliconé à l'aide d'un rouleau. Posez-la sur une plaque puis mettez-la au congélateur pendant 1 heure. Retirez la feuille du dessus, et faites cuire la préparation au four à 170 °C pendant 18 min ; pendant la cuisson, elle se crible de trous et prend l'aspect d'une dentelle brune.

À la sortie du four, coupez-la encore chaude, à l'aide d'un emporte-pièce rond de la taille des tartes ou des tartelettes au chocolat (recette p. 217) que vous aurez réalisées et sur lesquelles vous poserez un disque de nougatine, ou cassez-la en morceaux d'inégale grosseur pour décorer des mini-tartelettes au chocolat (recette p. 217). Sinon, découpez dans la nougatine dentelle encore chaude des disques de 8 à 10 cm et laissez-les refroidir – donc durcir – sur un rouleau à pâtisserie ou sur des bouteilles, et servez ces délicieuses tuiles avec le café.

La nougatine dont je garnis mes tartes au chocolat est préparée non pas avec des amandes hachées et du cacao mais avec du "grué" de cacao, un ingrédient que l'on ne trouve pas dans le commerce mais seulement chez les fabricants de chocolat, puisqu'il s'agit de fèves de cacao torréfiées et concassées grossièrement et qui constituent l'une des toutes premières étapes de la fabrication du chocolat. Le "grué" est très croquant, très odorant, très amer, et il donne à cette nougatine une texture, un goût et un parfum tout à fait étonnants.

PÂTE D'AMANDE

pour 1 kg de pâte d'amande :

- 500 g d'amandes décortiquées
- 450 g de sucre semoule
- 75 g de blancs d'œufs

Cette pâte d'amande maison est idéale pour la préparation du pain de Gênes. Elle est parfaite, légèrement détendue de blancs d'œufs, pour fourrer des fruits secs – pruneaux, dattes, noix ; pour ces dernières, aromatisez légèrement au café la pâte d'amande, en y ajoutant quelques gouttes d'extrait naturel liquide de café.

IL vaut mieux acheter des amandes simplement décortiquées que vous monderez vous-même la veille de la préparation de la pâte : elles auront plus de goût.

Plongez les amandes dans de l'eau bouillante, égouttez-les 10 secondes plus tard, plongez-les dans de l'eau froide puis égouttez-les à nouveau : elles se pèlent alors très facilement. Épongez-les, laissez-les sécher puis mettez-les au réfrigérateur. Si vous ne disposez que d'amandes déjà mondées, sans savoir si elles l'ont été très récemment, rafraîchissez-les en les plongeant 5 secondes dans de l'eau bouillante, séchez-les aussitôt dans un torchon avant de les mettre au réfrigérateur.

Mettez les amandes froides (cela évitera qu'elles chauffent trop rapidement et exsudent de l'huile pendant le broyage) dans le bol d'un robot équipé de la lame en acier. Ajoutez le sucre puis les blancs ; faites tourner l'appareil à vitesse moyenne jusqu'à ce que vous obteniez une pâte fine et crémeuse : ne la broyez pas trop longtemps, elle risquerait de se décomposer et de devenir huileuse... Notez cependant que vous n'obtiendrez pas une texture aussi fine que celle de la pâte d'amande du commerce qui, elle, est broyée dans de très puissantes machines et ensuite cuite, alors que celle-ci est crue, et donc plus savoureuse. Lorsque la pâte est prête, réservez-la au réfrigérateur, où vous pourrez la conserver 2 semaines.

Pour accentuer leur goût, ajoutez aux amandes douces quelques amandes amères, si vous avez la chance d'en trouver, sinon, contentez-vous d'y ajouter 3 ou 4 gouttes d'extrait naturel d'amande amère.

186

PÂTE À BISCUIT JOCONDE

pour 900 g de pâte :

- 5 œufs + 4 blancs
- 185 g de poudre d'amande
- 185 g de sucre glace

- 50 g de farine
- 40 g de beurre
- 25 g de sucre semoule

AITES fondre le beurre puis laissez-le refroidir. Mélangez la poudre d'amande et le sucre glace ; tamisez ce mélange au-dessus d'une terrine ; ajoutez-y trois œufs entiers ; fouettez vivement 7 min ; ajoutez les deux œufs restants ; fouettez encore 5 min ; sans cesser de fouetter, ajoutez le beurre refroidi puis la farine, en la tamisant.

Battez les blancs en neige avec le sucre semoule. Incorporez-les au contenu de la terrine en soulevant la pâte avec une spatule plutôt qu'en la tournant.

Cette pâte, très légère, se cuit 7 min à four chaud (230 °C) sur une plaque revêtue de papier siliconé. Étalez-la avec une spatule avant de la glisser au four.

Avec cette quantité de pâte vous réaliserez trois plaques. Une fois la pâte cuite, vous la découperez en cercles – qui constitueront le fond, le milieu ou le dessus des entremets – à l'aide d'emporte-pièce ou de cercles à tarte, ou en bandes dont vous entourerez ces mêmes entremets... Si vous voulez obtenir un très joli effet décoratif, déposez avant cuisson sur la pâte étalée des gouttelettes de purée de framboise.

Cette pâte s'imbibe parfaitement de sirops dont la composition variera selon celle de l'entremets et devient délicieusement fondante.

La pâte cuite, découpée en cercles ou en bandes, se conserve très bien au congélateur, entourée d'un film.

LA VANILLE

S ON Excellence la vanille, ambassadrice des Îles, est le premier parfum de France, préféré à ceux de la fraise et du chocolat. Reine de la crème glacée, la vanille est indissociable du goût de la crème anglaise, des œufs au lait et autres îles flottantes et du chocolat, son compagnon de toujours.

Quand les Aztèques découvrirent le cacao, ils découvrirent en même temps la vanille et inventèrent cette "boisson des dieux" toujours aussi divine qu'est le chocolat vanillé sucré au miel. Le miel leur était fourni par de petites abeilles qui fécondaient les fleurs de vanille, lesquelles, sans leur intervention, seraient restées stériles, ne donnant pas de gousses, donc pas de parfum.

Quatre siècles plus tard, quand furent importées dans les îles de l'océan Indien des boutures de "Vanilla fragrans", la liane aux feuilles oblongues, épaisses et brillantes, aux fleurs blanches teintées de vert tendre ressemblant à des orchidées s'enroula aux tuteurs qu'on lui offrit, comme elle le faisait dans les grands arbres de la forêt mexicaine. Elle fleurit, mais ne donna point de fruits. Il fallut attendre 1840 pour découvrir que le mariage des fleurs était l'œuvre des mélipones, les abeilles des Aztèques, mais celles-ci refusèrent obstinément de quitter le Mexique pour s'installer dans les îles au vent – Madagascar, la Réunion, les Comores – qui fournissent aujourd'hui la vanille Bourbon. Là, comme en Martinique ou en Guadeloupe, domaine de la "Vanilla Pompona" dont les gousses plus larges et plus courtes appelées "vanillons" sont très prisées des parfumeurs ou encore à Tahiti et Moorea, royaume de la "Vanilla tahitensis" – qui a séduit Pierre Hermé – au bouquet capiteux, profond, fatal, sans doute parce qu'il contient l'irrésistible héliotropine absente des deux autres variétés, les fleurs éphémères sont fécondées une à une, à l'aide d'une épine de citronnier. Leur fruit ressemble à un mini-régime de bananes, un balai de gousses vertes dures et parfaitement inodores.

Les Aztèques avaient-ils observé que les fruits verts qui se détachaient des lianes agrippées aux grands arbres n'exhalaient aucun parfum, mais que, une fois fermentés sous l'humus épais de la forêt, ils devenaient noirs et dégageaient un arôme exquis ? En raffolèrent-ils au point d'arracher la vanille à son état sauvage et de la cultiver dans les jardins où les Espagnols la découvrirent et l'emportèrent dans le Vieux Monde dont elle conquit tous les pays ? À la cour du Roi-Soleil, elle remporta un immense succès : on l'utilisa comme parfum de cuisine et de toilette, ce qu'elle continue d'être. Elle resta longtemps un objet de luxe, si rare et si convoité qu'on synthétisa son arôme, qu'on appela "vanilline", du nom d'un des composants du bouquet de la vanille, présent dans les petits cristaux qui se forment sur la gousse.

L'élaboration du parfum de la vanille requiert des soins et de la patience : les gousses aussitôt cueillies sont échaudées, étuvées dans des caisses capitonnées de laine où elles prennent une teinte brune brillante, puis séchées au soleil et enfin mises à l'ombre, enfermées dans des malles pendant neuf mois. C'est seulement au terme de cette longue attente que leur grisant parfum s'exprime. Celui-ci est un bouquet complexe, constitué de divers composants odorants répartis sur la gousse et, pour la plupart d'entre eux, cachés à l'intérieur, dans les nombreuses petites graines noires aromatiques qu'elle renferme. C'est pourquoi il faut toujours, avant de l'utiliser, fendre la gousse tout du long pour libérer les graines porteuses de l'arôme suave et les incorporer aux pâtes des gâteaux, aux crèmes des entremets et dans d'autres – très nombreuses – préparations. Lorsqu'il s'agit de lait, de crème fraîche ou de sirop, il faut aussi ajouter la gousse et, après une première utilisation, ne pas jeter cette gousse "usée", qui continuera de distiller un parfum de vanille dans un tiroir, un placard ou un pot de sucre. Humide, la gousse de vanille usée plantée dans du sucre – sucre semoule,

190

sucre cristal ou cassonade – conservé dans un pot rendra le sucre compact en lui communiquant son arôme. Il suffira de le remuer avec les dents d'une fourchette pour rendre sa fluidité à ce sucre vanillé maison.

À part la gousse, irremplaçable et noble, la vanille se présente sous forme de poudre ou d'extrait liquide, sans compter le sucre vanillé, pratique pour poudrer des gâteaux aux fruits, sucrer yaourts, fromages blancs et compotes. La poudre, souvent préparée avec des gousses de vanille usées, n'est pas très parfumée – et l'est encore moins lorsqu'elle est additionnée de sucre – mais facile à incorporer à des pâtes à gâteaux – biscuits, cakes, quatre-quarts. Quant à l'extrait naturel liquide, il est lui aussi assez peu parfumé mais néanmoins utilisable dans les préparations liquides de dernière minute : mousses, jus de fruits, cocktails, et pour souligner le goût de certaines crèmes et pâtes fluides.

ANANAS RÔTI À LA
VANILLE CARAMÉLISÉE

pour 6 personnes :

• 1 ananas de 1,5 kg, mûr mais ferme
• 5 gousses de vanille de Tahiti
POUR LE SIROP
À LA VANILLE CARAMÉLISÉE :
• 125 g de sucre semoule
• 2 gousses de vanille de Tahiti
• 6 lamelles de gingembre frais

• 3 grains de piment de la Jamaïque pilés
• 30 g de purée de banane
• 1 cuillerée à soupe de rhum agricole brun
• 2,2 dl d'eau

La veille, préparez le sirop à la vanille caramélisée : fendez les gousses de vanille puis coupez-les en deux. Mettez le sucre dans une casserole ; laissez-le caraméliser à feu doux, sans y ajouter d'eau. Ne craignez pas de poursuivre sa cuisson jusqu'à ce qu'il prenne une couleur d'ambre foncé... C'est la seule façon d'obtenir un caramel qui ait du goût et ne soit pas sucré : mais il ne faut pas non plus qu'il brûle car il deviendrait irrémédiablement amer. Dans ce caramel idéal, ajoutez les gousses de vanille, les lamelles de gingembre et le piment de la Jamaïque ; cinq secondes plus tard, versez l'eau sur le caramel, pour le "décuire" (l'allonger et arrêter sa cuisson). Portez à ébullition le sirop obtenu ; ajoutez-en 3 cuillerées dans la purée de banane puis versez-le dans le sirop, avec le rhum. Mélangez. Réservez. Notez que ce sirop peut être préparé deux ou trois jours à l'avance.

Pelez soigneusement l'ananas ; coupez les cinq gousses de vanille en deux et piquez-en le fruit de toutes parts ; couchez-le dans un plat à rôtir, nappez-le de sirop en le filtrant puis glissez le plat au four, à 230 °C. Faites cuire l'ananas 1 heure, en l'arrosant souvent et en le tournant sur toutes ses faces.

Laissez l'ananas refroidir avant de le servir coupé en tranches et nappé de son jus chaud ou froid, tel quel ou accompagné d'une glace à la vanille.

Nappez les tranches d'ananas rôti de pulpe de fruit de la Passion et servez-les avec un baba au rhum. Vous pouvez aussi les poser sur des tartelettes en pâte sucrée que vous garnirez de sorbet exotique (recette p. 151).

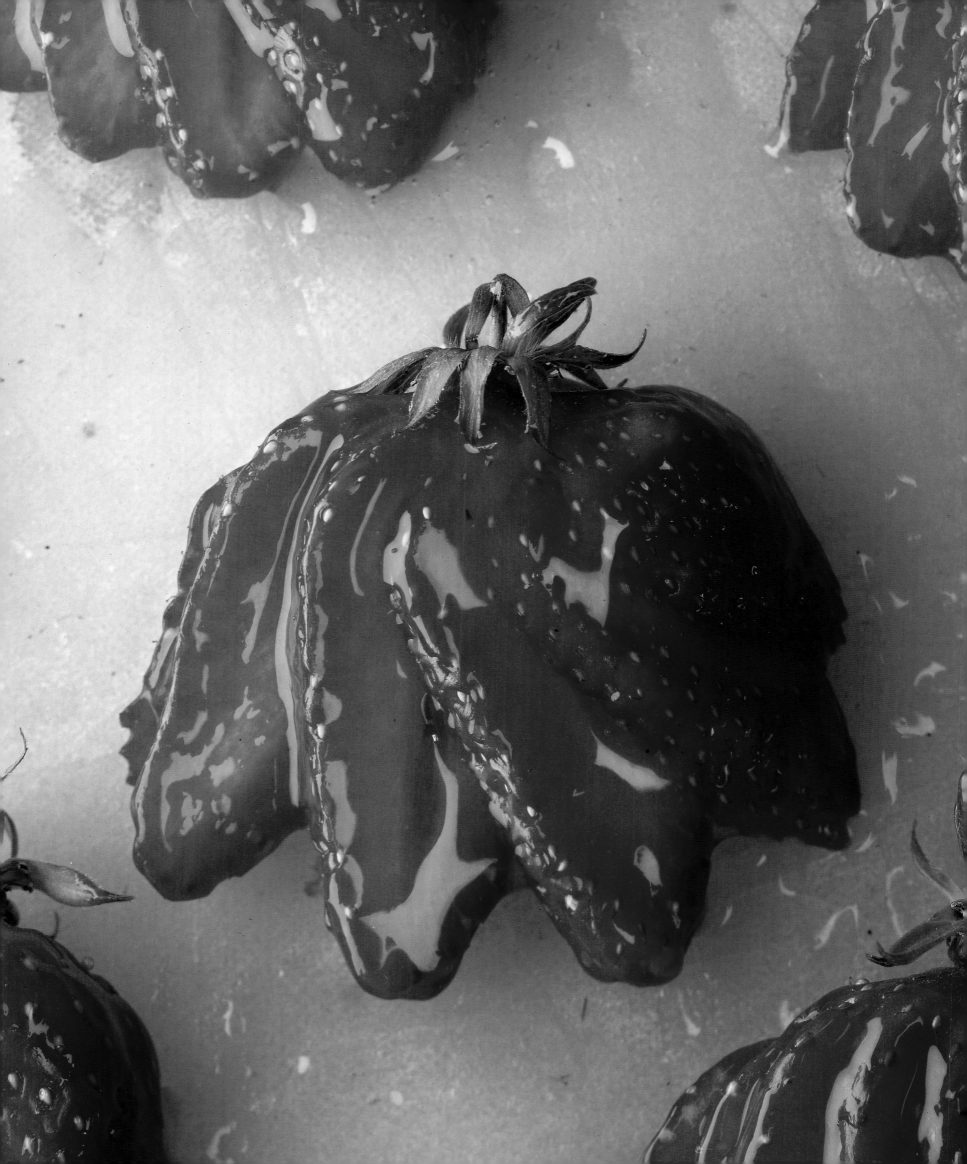

NAPPAGE TRANSLUCIDE

pour 350 g de nappage :

- 2 sachets de gélifiant en poudre de 7 g chacun (type Jolietarte)
- 1/2 gousse de vanille
- 1/2 zeste de citron en lanières
- 1/2 zeste d'orange en lanières
- 3 dl d'eau
- 120 g de sucre semoule
- 4 feuilles de menthe

DANS un bol, mélangez le sucre et le gélifiant. Versez l'eau dans une grande casserole ; ajoutez la vanille et les zestes ; faites chauffer sans bouillir à plus de 40 °C, puis versez en pluie le sucre mélangé au gélifiant : il est important que l'eau soit à plus de 40 °C, car la pectine ne se dissout qu'au-delà de cette température. Faites bouillir 2 à 3 min, en tournant avec une spatule, à feu doux, car la préparation mousse beaucoup ! Ajoutez ensuite la menthe ; laissez-la infuser 1/4 d'heure puis filtrez la préparation et laissez-la refroidir à température ambiante. Le nappage prend en gelée. Vous pouvez le conserver 1 semaine au réfrigérateur ou le stocker, par petites quantités, au congélateur.

Ce nappage est beaucoup moins sucré que les nappages classiques et son goût rafraîchissant et délicat met bien en valeur tous les fruits qu'il fait briller et dont il rehausse le goût sans le masquer. Il s'harmonise avec les fraises d'une manière particulièrement heureuse, subtile et délicieuse.

SORBET AUX ABRICOTS CARAMÉLISÉS
pour 1,5 litre de sorbet :

- 500 g d'abricots dénoyautés, mûrs et parfumés
- 50 g de sucre semoule
- 25 g de beurre
- 2 cuillerées à soupe de jus de citron
- 1/2 gousse de vanille
- 80 g de sirop de canne à sucre
- 1 cuillerée à soupe d'eau
- 2 cuillerées à café d'eau-de-vie d'abricot

COUPEZ les abricots en quartiers et la vanille en deux ; faites fondre le beurre dans une poêle de 26 cm ; ajoutez les quartiers d'abricots et la vanille ; poudrez de sucre ; laissez les abricots dorer à feu vif, en les tournant souvent, jusqu'à ce qu'ils caramélisent légèrement ; arrosez-les de jus de citron ; mettez-les dans une terrine et laissez-les refroidir. Retirez la vanille. Mixez les abricots dans le bol d'un robot équipé de la lame en acier, avec le sirop de canne, l'eau et l'eau-de-vie d'abricot, jusqu'à obtention d'une fine crème. Faites glacer celle-ci en sorbetière.
Servez ce sorbet avec des fruits rouges ou des quartiers d'abricots chauds, poêlés au beurre et au sucre avec des fleurs de lavande.

« Dans un moule à cake en Pyrex, dressez des couches de sorbets et de glaces qui s'harmonisent en couleurs et en saveurs. Faites prendre au congélateur avant de démouler et de servir cet entremets en tranches, comme une "cassata" napolitaine... Notez que cette préparation pour sorbet, non glacée, constitue un délicieux coulis d'abricot pour accompagner gâteaux et entremets. »

Les meilleures eaux-de-vie d'abricot viennent de Suisse, d'Autriche, du Tyrol du Sud ou du nord de l'Italie... Avec ce sorbet, composez un trio de charme irrésistible : une quenelle de sorbet aux abricots caramélisés, une quenelle de sorbet à la fraise (recette p. 154), une quenelle de glace à la pistache (recette p. 148) entourées de fraises émincées.

PEAU DE VELOURS, CHAIR FONDANTE,
PARFUMÉE ET SUCRÉE, L'ABRICOT EST LE FRUIT LE PLUS
EMPLOYÉ EN PÂTISSERIE, FRAIS, CONFIT, EN SALADE,
EN CONFITURE, EN GELÉE.

ZESTES
DE PAMPLEMOUSSES
CONFITS

• 6 pamplemousses non traités,
"red ruby" de préférence
• 1 dl d'eau
• 500 g de sucre semoule
• 1 étoile de badiane

• 10 grains de poivre noir
• 1 gousse de vanille de Tahiti
• 3 cuillerées à soupe de jus de
citron

COUPEZ les deux extrémités des pamplemousses. À l'aide d'un couteau, détachez-en le zeste, de haut en bas, en 6 larges copeaux, en coupant en même temps 1 cm de pulpe. Faites blanchir ces zestes trois fois de suite : plongez-les dans une grande quantité d'eau bouillante ; faites-les bouillir 2 min puis rincez-les à l'eau froide ; recommencez deux fois l'opération. Égouttez les zestes. Préparez un sirop : mettez le sucre, l'eau, le jus de citron, la badiane, les grains de poivre écrasés et la gousse de vanille fendue dans une grande casserole ; portez à ébullition ; ajoutez les zestes, laissez-les cuire à feu doux, à couvert pour préserver le moelleux et à très petits frémissements 1 h 30 et laissez-les macérer 8 heures dans ce sirop ; puis égouttez-les sur un tamis.
Vous conserverez ces zestes plusieurs mois dans un bocal au réfrigérateur et les utiliserez pour cakes, entremets et desserts.

« Laissez sécher ces zestes, coupez-les en bâtonnets de 1 cm et enrobez-les de sucre cristal pour en faire d'exquises friandises. »

Coupez ces zestes en carrés et servez-les avec les petits-fours. Ajoutez-les, en petits cubes, dans une compote de pommes acides...

ROSE DES SABLES

pour 8 personnes :

- 2 disques de pain de Gênes (recette p. 170) de 1 cm d'épaisseur coupés dans un gâteau de 22 cm
- gelée de pomme ou de coing
- bâtons de cannelle, gousses de vanille, étoiles de badiane

POUR LE SIROP D'ÉPICES :
- 60 g de sucre semoule
- 2 pincées de : cannelle, gingembre, muscade râpée

POUR LA MOUSSE AU CARAMEL :
- 2 jaunes d'œufs
- 30 g de sirop de canne à sucre
- 5 g de gélatine en feuilles
- 150 g de caramel à la crème
- 170 g de crème fouettée

POUR LE CARAMEL À LA CRÈME :
- 100 g de sucre semoule
- 80 g de crème fouettée
- 15 g de beurre demi-sel

POUR LA MOUSSE À LA FLEUR D'ORANGER :
- 3 jaunes d'œufs
- 80 g de sirop de canne à sucre
- 1 1/2 cuillerée à soupe d'eau de fleur d'oranger
- 1 cuillerée à soupe de Cointreau
- 20 g d'écorce d'orange confite hachée
- 190 g de crème fouettée
- 4 g de gélatine en feuilles

PRÉPAREZ le sirop d'épices en faisant bouillir tous les ingrédients 1 min avec 1 dl d'eau. Posez un cercle de 22 cm et de 4,5 cm de haut sur une plaque revêtue de papier siliconé ; mettez un disque de pain de Gênes dans le cercle et imbibez-le de sirop. Préparez le caramel à la crème : mettez le sucre, en trois fois, dans une casserole, en attendant qu'il fonde pour en ajouter de nouveau ; lorsqu'il prend une couleur ambrée, incorporez-y le beurre, puis la crème fouettée. Faites tremper les feuilles de gélatine à l'eau froide. Faites cuire les jaunes avec le sirop, au bain-marie, en fouettant, jusqu'à 80-82 °C ; versez-les dans la cuve d'un robot équipé d'un fouet-boule ; fouettez-les jusqu'à ce qu'ils refroidissent. Égouttez la gélatine, faites-la fondre à feu très doux dans une casserole ; ajoutez-y un peu de préparation contenue dans le robot, mélangez puis versez le contenu de la casserole dans la cuve ; ajoutez aussi le caramel à la crème froid et la crème fouettée ; versez cette mousse dans le cercle ; posez le second disque de pain de Gênes dessus ; imbibez-le du reste de sirop et préparez la mousse à la fleur d'oranger : faites tremper les feuilles de gélatine à l'eau froide ; faites cuire les jaunes avec le sirop, au bain-marie, jusqu'à ce qu'ils atteignent 80-82 °C ; versez-les dans la cuve du robot équipé du fouet-boule ; fouettez jusqu'à refroidissement. Égouttez la gélatine, rincez-la, faites-la fondre à feu très doux dans une casserole ; ajoutez-y un peu de préparation contenue dans la cuve, mélangez puis versez le contenu de la casserole dans la cuve ; ajoutez l'eau de fleur d'oranger, le Cointreau, les écorces et la crème fouettée. Versez dans le cercle ; égalisez ; mettez au congélateur 1 heure avant de napper l'entremets de gelée fondue et de le décorer d'épices.

Pour accentuer la saveur épicée de cet entremets, entourez-le de petits carrés (3,5 × 3,5 cm) de pain d'épices très fins, beurrés et toastés. Pour préparer le sirop, vous trouverez des "mélanges pour pains d'épices" chez les spécialistes ou dans les coopératives de boulangers-pâtissiers de l'est de la France, à Colmar ou à Nancy.

201

JAUNE OU BLANCHE, LA PÊCHE EST ÉPHÉMÈRE,
DÉLICATE, SUBLIMEMENT PARFUMÉE. MOINS FRAGILE QUE
LA BLANCHE, LA JAUNE S'UTILISE PLUS SOUVENT.

SALADE DE FRUITS
pour 8 personnes :

- 3 mangues
- 3 papayes
- 6 abricots
- 6 pêches
- 3 oranges non traitées
- 1 pamplemousse
- 1 ananas "victoria"

- 300 g de fruits rouges et noirs : fraises, framboises, groseilles, mûres, cassis, fraises des bois
- 100 g de sucre semoule
- 2 rubans de zeste de citron non traité de 6 cm
- 1 gousse de vanille de Tahiti
- 14 feuilles de menthe

« Pour retrouver dans toute sa plénitude le goût de chaque fruit, ne laissez pas macérer cette salade, préparez-la juste avant le repas et servez-la légèrement rafraîchie. »

PRÉLEVEZ sur l'une des oranges 3 rubans de zeste de 6 cm ; mettez-le dans une casserole avec les zestes de citron, le sucre et 1/2 litre d'eau. Fendez la gousse de vanille, grattez-la avec un petit couteau ; mettez dans la casserole les graines et la gousse ; portez à ébullition, puis retirez du feu. Ajoutez 10 feuilles de menthe ; laissez infuser 1/4 d'heure puis filtrez ce sirop parfumé, laissez-le refroidir et réservez-le au réfrigérateur.

Pelez à vif les oranges et le pamplemousse ; détachez-en les quartiers à l'aide d'un petit couteau ; pelez l'ananas ; coupez-le en deux verticalement ; pelez les mangues et les papayes ; débarrassez celles-ci de leurs graines ; lavez les pêches et les abricots ; coupez-les en deux et retirez-en le noyau. Coupez tous ces fruits le plus finement possible, dans le sens de la longueur et en demi-cercles pour l'ananas, à l'aide d'un couteau, sur une mandoline ou à la machine à trancher.

Répartissez les fruits dans des assiettes creuses ; parsemez-les de fruits rouges et noirs et nappez-les de sirop parfumé très froid. Ciselez les feuilles de menthe restantes et répartissez-les dans les assiettes. Servez aussitôt.

En saison, vous pouvez ajouter à cette salade des figues fraîches en quartiers et la décorer de très fines rondelles de kiwi. N'ajoutez ni pomme ni poire – trop banales – ni banane, ni melon – qui ont trop de goût. Alcools et liqueurs sont à éviter absolument : ils dénaturent le goût des fruits alors qu'un sirop parfumé l'exalte...

203

LE
CHOCOLAT

THEOBROMA CACAO L. : tel est le nom scientifique du cacaoyer, composé du grec "theobroma" (nourriture des dieux), de l'aztèque "cacauatl" (cacao) et de "L", initiale de Charles de Linné, le naturaliste qui le classifia. Le cacaoyer, tel que le découvrit Christophe Colomb, est une plante d'ombre de 4 à 5 mètres de haut, à feuilles persistantes, qui pousse aux environs de 6 000 mètres d'altitude, au sein de la ceinture magique qui entoure la Terre, entre le 21e et le 22e parallèle, dans la chaleur et l'humidité de la forêt, sous les grands arbres tropicaux.

L'arbre sacré des Aztèques, dont les fèves servaient de monnaie et permettaient d'élaborer une boisson roborative, porte en permanence des fleurs et des fruits, de grosses baies de 15 à 30 centimètres de long et de 7 à 8 centimètres de large, appelées "cabosses", qui poussent directement sur le tronc : elles contiennent une quarantaine de graines, les fèves de cacao, semblables à de gros haricots, nichées dans une pulpe sucrée. Lorsqu'elles sont mûres, on ouvre les cabosses, on en extrait les fèves avant de les laisser fermenter 5 à 6 jours sous des feuilles de bananier pour développer leur arôme, puis on les laisse sécher plusieurs jours au soleil. C'est alors qu'elles peuvent partir vers les chocolateries.

Les fèves ne naissent pas toutes égales : de même que le café, le cacao est issu de plusieurs espèces – "Criollo" du Venezuela, rare, fragile, très parfumé ; "Forastero", commun, robuste et corsé ; "Trinitario", heureux mariage des deux premiers. Comme les grains de café, les fèves de cacao ne développent la plénitude de leur arôme qu'une fois torréfiées. La "torréfaction" permet également à la coque de se détacher de la fève, facilitant ainsi la phase suivante, le "concassage", qui consiste à réduire les fèves en petits éclats, en éliminant en même temps les enveloppes par un jeu de tamis vibrants. Ces petits éclats constituent le "grué", qui ne se commercialise pas et que Pierre Hermé a eu l'idée d'utiliser pour sa saveur brute et sa texture croquante dans une de ses plus exquises créations, "la nougatine dentelle au grué de cacao"... Intervient alors l'opération la plus importante pour un chocolatier : l'assemblage et le dosage des fèves d'origines diverses pour créer un "cru" de chocolat, chaque pays, chaque terroir apportant une force, un caractère, un goût différents. Les fèves concassées sont placées dans des "moulins à marteaux" qui échauffent la matière grasse contenue dans les fèves et les transforment en pâte de cacao – la "liqueur" – qui donnera naissance à deux produits : la poudre de cacao et le chocolat ; en séparant, par d'énormes pressions, le beurre de cacao de la pâte, celle-ci devient une galette dense faite de poudre comprimée : le "tourteau". Concassé, pulvérisé, tamisé, le tourteau donne le cacao en poudre pur, très amer. À la liqueur, on ajoute du sucre, de la vanille et du lait en poudre si l'on veut obtenir du chocolat au lait. À ce stade, le mélange est savoureux mais très granuleux et il faut, pour que le chocolat caresse le palais, le broyer si finement qu'une papille gustative ne sentira aucune rugosité, avant d'entamer la dernière phase, le "conchage", qui consiste à brasser le chocolat pendant très longtemps, entre 24 et 72 heures, afin de l'aérer, de supprimer toute trace d'humidité et de développer tout son arôme. Ainsi devient-il lisse, fluide, soyeux, brillant, onctueux, prêt à être conditionné en tablettes.

Grand amateur de chocolat, Pierre Hermé a été séduit par les grands crus à plus de 60 % de cacao – "Guanaja" à l'arôme fruité et floral, au goût puissant et vigoureux ; "Manjari" au bouquet frais et acidulé évoquant les fruits rouges ; "Pur Caraïbe", harmonieux, rond, moelleux, aux notes boisées évoquant les fruits secs – créés par Valrhona, qui lui ont inspiré d'extraordinaires gâteaux : "Marigny", "Manjari", "Rive Gauche", "Riviera", "Prélat", et une merveilleuse tarte. Pour "Jivara", un chocolat au lait d'exception, typé et peu sucré, il a éprouvé un véritable coup de foudre dont est née "La cerise sur le gâteau", son premier gâteau au chocolat au lait,

qui rend fous même les amateurs de chocolat noir, somptueux dans son habillage lisse en forme de grosse part de gâteau, dessiné par 'Yan Pennor's.

Pierre Hermé rappelle que le chocolat est fragile et délicat mais qu'il devient facile à manipuler si l'on observe quelques règles simples, notamment lorsqu'on veut faire des friandises ou des moulages. Le chocolat fond à 30 °C et, la plupart du temps, il faut le faire fondre avant de l'utiliser, jamais directement sur une flamme ou une source de chaleur mais au bain-marie ou encore au micro-ondes, en dessous de 600 watts, et cela suffit pour des mousses ou des gâteaux. En revanche, pour que le chocolat reste brillant, onctueux, stable, il faut le "tempérer", c'est-à-dire l'amener à une température de 45 à 50 °C pour le chocolat au lait, de 50 à 55 °C pour le chocolat noir, puis le refroidir aussitôt en plongeant l'ustensile contenant le chocolat dans un récipient rempli d'eau et de glaçons tout en remuant à l'aide d'une cuillère en bois. Lorsque la température est descendue à 28 °C, il faut refaire chauffer jusqu'à 29-30 °C le chocolat au lait, 30-31 °C le chocolat noir. Le chocolat fondu, même "tempéré", est sensible aux liquides : qu'on y ajoute de l'eau ou un alcool, il forme une masse épaisse et dure impossible à utiliser. Si l'on veut le parfumer avec du rhum ou du whisky, il faut donc d'abord préparer une ganache. Quant au thé, aux fleurs de lavande, au thym, au safran, à la gousse de vanille, il faut les faire infuser dans la crème. En revanche, la vanille, la cannelle, l'anis étoilé, le gingembre en poudre et le poivre moulu peuvent y être directement ajoutés.

CRÈME AU CHOCOLAT
pour 6/8 personnes :

- 1/2 litre de lait
- 1/2 litre de crème liquide
- 6 jaunes d'œufs
- 100 g de sucre semoule
- 370 g de chocolat "Guanaja"

HACHEZ le chocolat ou râpez-le très grossièrement dans un robot, équipé de la râpe à gros trous.

Avec le lait, la crème, le sucre et les jaunes d'œufs, préparez une crème anglaise (recette p. 129). Lorsque la crème est cuite, ajoutez-y le chocolat, en 3 ou 4 fois, en la fouettant vivement : cela crée une émulsion qui allège la crème tout en lui donnant une onctuosité remarquable ; cela ne se produirait pas si vous ajoutiez le chocolat d'un seul coup, il alourdirait la crème qui deviendrait pâteuse.

Versez la crème dans des bacs et couvrez-les. Réservez 8 heures au moins au réfrigérateur, avant de servir. Vous conserverez la crème 48 heures à 4 °C.

Au froid, la crème se solidifie tout en restant très moelleuse et procure en bouche une délicieuse sensation de frais.

« Avec cette crème, vous retrouverez tout le plaisir de la vraie crème au chocolat de grand-mère ! Dégustez-la aussi tout simplement, à la petite cuillère, dans des coupelles, telle quelle ou avec un flocon de chantilly, accompagnée de tuiles. »

Avant de préparer cette crème, faites infuser dans le lait quelques fleurs de lavande. Servez-la en quenelles – que vous moulerez entre deux cuillères à soupe – posées sur de la glace à la vanille ou sur un coulis de framboises fraîches ou encore sur une crème brûlée – non caramélisée – à la vanille, au café, à la pistache...

MEGÈVE
pour 8 personnes :

- 250 g de meringue française (recette p. 105)
- 300 g de glaçage au chocolat (recette p. 230) ou des copeaux de chocolat noir
POUR LA MOUSSE :
- 185 g de chocolat "noir gastronomie" de Valrhona
- 75 g de chocolat "Guanaja"
- 60 g de jaunes d'œufs
- 135 g de blancs d'œufs
- 185 g de beurre froid
- 45 g de sauce chocolat (recette p. 231)
- 15 g de sucre semoule

P RÉPAREZ le megève au moins deux jours à l'avance. Avec la meringue glissée dans une poche munie d'une douille cannelée n° 9, confectionnez trois disques de 22 cm, sur des plaques revêtues de papier siliconé, et faites-les cuire selon la méthode décrite dans la recette de la meringue française (page 105).

Lorsque la meringue est prête, préparez la mousse : faites fondre les deux chocolats au bain-marie ou au micro-ondes. Mettez le beurre froid dans une terrine ; fouettez-le au batteur pour le faire "foisonner", c'est-à-dire pour y incorporer un maximum d'air et l'alléger. Ajoutez-y le chocolat fondu, tiède – 40 °C –, en trois fois, en continuant de fouetter pour, à son tour, faire "foisonner" le mélange. Dans un bol, mélangez les jaunes et la sauce chocolat. Montez les blancs en neige avec le sucre : ils ne doivent pas être fermes mais simplement mousseux et se recourber "en bec d'oiseau" lorsqu'on y plonge le doigt et qu'on le retire.

Incorporez un quart des blancs dans le bol contenant les jaunes et la sauce chocolat, puis versez le contenu du bol sur les blancs, en soulevant la préparation avec une spatule, délicatement. Versez-la dans la terrine, toujours délicatement.

Étalez 2/5 de cette mousse sur le premier disque de meringue ; posez le deuxième disque dessus et nappez-le de 2/5 de mousse, avant de coiffer le tout du troisième disque de meringue et de le napper du 1/5 restant de mousse, dessus et sur les côtés. Réservez le megève au réfrigérateur. Avant de le servir, couvrez-le de glaçage au chocolat juste tiédi ou, tout simplement, garnissez-le de copeaux de chocolat noir.

PAPILLOTE PRALINÉE AUX NOISETTES CARAMÉLISÉES

pour 8 personnes :

POUR LE SUCCÈS AUX NOISETTES :
- 250 g de blancs d'œufs
- 250 g de sucre semoule
- 125 g de poudre de noisette
- 125 g de sucre glace

POUR LA CRÈME PRALINÉE :
- 200 g de beurre
- 220 g de praliné noisette en pâte
- 110 g de blancs d'œufs
- 165 g de sucre semoule

POUR LES NOISETTES CARAMÉLISÉES :
- 400 g de noisettes du Piémont
- 250 g de sucre semoule
- 7,5 cl d'eau
- 1/2 gousse de vanille de Tahiti

POUR L'HABILLAGE DU GÂTEAU :
- 300 g de chocolat au lait "lacté" de Valrhona

AVEC ces proportions, vous préparerez un seul gros gâteau ou 8 gâteaux individuels. Les fonds de succès peuvent être préparés plusieurs heures à l'avance : tamisez ensemble poudre de noisette et sucre glace ; ajoutez-y 1/5 du sucre sans cesser de les fouetter puis ajoutez le reste du sucre, d'un seul coup, afin que le succès reste bien lisse, sans se boursoufler à la cuisson. Lorsque le sucre est incorporé, ajoutez à la meringue le mélange poudre de noisette-sucre glace en soulevant délicatement les blancs avec une corne pour ne pas les faire retomber. Sur des plaques revêtues de papier siliconé, dessinez deux cercles de 22 cm ou 16 cercles de 7 cm. Glissez la pâte dans une poche munie d'une douille lisse n° 16 et remplissez les cercles de pâte, en spirale, en partant du centre.

Faites cuire les fonds de succès au four, à 150 °C, 1 h 15 à 1 h 30 pour les grands, 45 min pour les petits, en gardant la porte du four entrouverte pour éviter que l'accumulation de la vapeur ne les fasse gonfler puis retomber aussitôt.

Une fois cuits, les fonds doivent être dorés à cœur : cassez-en un pour vérifier et prolongez la cuisson si nécessaire. Laissez-les refroidir sur une grille.

Préparez les noisettes caramélisées : faites-les légèrement griller sur une plaque, pendant 12 à 15 min, au four à 170 °C, puis mettez-les dans un tamis à gros trous et roulez-les sous les paumes de vos mains afin de les débarrasser de leur peau.

Dans une grande casserole, faites bouillir le sucre et l'eau avec la demi-gousse de vanille et ses graines récupérées à l'aide d'un petit couteau jusqu'à 118-120 °C ; jetez les noisettes tièdes dans ce sucre cuit ; retirez la casserole du feu, et, en tournant avec une spatule, faites "sabler" – c'est-à-dire cristalliser le sucre autour des noisettes. Remettez-les sur le feu jusqu'à obtention d'une couleur ambrée

Pour ces gâteaux, j'utilise de grosses noisettes trapues qui viennent de Piémont. Je les trouve excellentes, comme les noix "franquettes" du Périgord, mes préférées. Les unes et les autres, caramélisées, constituent de délicieuses friandises. Vous pouvez arrêter leur caramélisation au premier stade, après avoir fait "sabler" le sucre qui enrobe chaque fruit et les sépare : cela vous permettra de les croquer une à une ou de les plonger dans du chocolat noir fondu puis de les rouler dans du cacao.

foncée puis versez le contenu de la casserole sur une plaque anti-adhésive et laissez refroidir. Réservez-en 100 g pour le gâteau et concassez-les grossièrement.

Préparez la crème pralinée : faites bouillir le sucre 3 min (118 °C) avec 1 dl d'eau ; battez les blancs en neige dans la cuve d'un robot ; ajoutez-y le sirop en mince filet ; continuez de les fouetter jusqu'à ce qu'ils soient froids. Fouettez la crème au beurre afin d'y incorporer de l'air et de la faire "foisonner" ; ajoutez-y le praliné, puis la meringue et enfin les noisettes caramélisées concassées. Étalez la moitié de cette préparation sur un grand fond ou 8 petits fonds de succès retaillés net sur les bords ; posez les fonds restants dessus ; étalez le reste de la crème pâtissière. Mettez le ou les gâteaux au réfrigérateur jusqu'au moment de les servir : ils sont meilleurs le lendemain, voire le surlendemain, car la meringue commence à fondre dans la crème en restant encore, par endroits, très croustillante et cela est très agréable sous le palais.

Mettez une plaque de marbre au congélateur ; faites fondre le chocolat à 40 °C ; versez-le par petites quantités sur le marbre, étalez-le avec une palette, puis, avec la même palette, décollez-le en bandes de 30 x 10 cm. Entourez-en le ou les gâteaux. Au centre, posez une large bande de chocolat froissée à la base pour figurer l'extrémité d'une papillote. Remettez au froid avant de servir.

GROS FRUITS OVOÏDES DIVERSEMENT
COLORÉS, LES CABOSSES, QUI POUSSENT SUR LE TRONC
DU CACAOYER, RENFERMENT LES FÈVES LES PLUS
PRÉCIEUSES DU MONDE.

MINI-TARTELETTES
CHOCOLAT-PASSION
pour 24 mini-tartelettes :

• 300 g de pâte sucrée (recette p. 49)
• 100 g de nougatine dentelle au cacao (recette p. 185)
• 70 g de crème liquide
• 60 g de jus de fruits de la Passion
• 150 g de chocolat "Guanaja"

finement haché
• 35 g de beurre à température ambiante
POUR LES MOULES :
• 30 g de beurre fondu froid

BEURREZ, en les badigeonnant au pinceau, 24 petits moules à tartelettes de 4 cm. Rassemblez-les sur le plan de travail, en un rectangle composé de 6 moules dans la longueur et quatre dans la largeur. Étalez la pâte sur une épaisseur de 1,5 mm, en un rectangle de la dimension du rectangle formé par les moules ; couvrez-en les moules ; passez un rouleau dessus, pour couper la pâte aux dimensions des moules ; ôtez la pâte superflue ; faites adhérer la pâte aux moules en appuyant du bout des doigts ; piquez-la de nombreux coups de fourchette ; posez sur la pâte des petites caissettes en papier sulfurisé et remplissez-les de légumes secs. Posez les moules sur une plaque ; faites cuire les fonds de tartelettes au four à 180 °C, pendant 12 min ; après 10 min de cuisson, ôtez les caissettes et leur contenu pour permettre à la pâte de dorer. Lorsque les fonds de tartelettes sont cuits, démoulez-les et laissez-les refroidir sur une grille, pendant que vous préparez la garniture : faites bouillir d'une part la crème et d'autre part le jus de fruit de la Passion. Versez la crème en deux fois, sur le chocolat haché, en tournant vivement avec une spatule pour lisser le mélange, puis ajoutez le jus de fruit de la Passion avant d'incorporer le beurre, en tournant lentement avec la spatule. Laissez figer la ganache puis faites-la glisser dans une poche munie d'une grosse douille cannelée.

Remplissez chaque fond de tartelette d'une rosace de ganache. Décorez-les d'un éclat de nougatine dentelle au cacao. Servez ces petits-fours avec le café.

Vous obtiendrez 60 g de jus épais et onctueux de fruit de la Passion, en passant à la centrifugeuse la pulpe de 250 g de fruits très mûrs. Vous pouvez remplacer ce jus par autant de purée de framboise... Vous pouvez aussi supprimer les fruits et faire infuser dans 140 g de crème des épices telles que gingembre, cannelle, anis étoilé, etc.

217

BÛCHE CHOCOLAT-FRAMBOISE

pour 12 personnes :

POUR LE BISCUIT :
- 100 g de jaunes d'œufs
- 100 g de blancs d'œufs
- 20 g de farine
- 20 g de fécule
- 20 g de cacao en poudre
- 45 g de beurre fondu
- 100 g de sucre semoule

POUR IMBIBER LE BISCUIT :
- 80 g de sucre semoule

- 60 g d'eau-de-vie de framboise sauvage

POUR FOURRER LE BISCUIT :
- 320 g de ganache Guanaja
(recette p. 229)
- 160 g de beurre mou
- 300 g de framboise-pépins
(recette p. 221)

POUR HABILLER LA BÛCHE :
- 310 g d'habillage en chocolat noir
(recette p. 232)

CONFECTIONNEZ la bûche 2 ou 3 jours à l'avance pour que se réalise la nécessaire osmose entre les différents goûts et les différentes textures qui composent ce gâteau, qui lui donnera une saveur incomparable.

Préparez d'abord le sirop : faites bouillir 1 min le sucre semoule avec 80 g d'eau ; laissez refroidir puis ajoutez l'eau-de-vie de framboise. Préparez ensuite le biscuit : tamisez la farine, la fécule et le cacao. Dans un saladier, fouettez les blancs avec la moitié du sucre ; dans une terrine, faites blanchir et mousser les jaunes avec l'autre moitié du sucre et mettez 2 cuillerées à soupe de ce mélange dans le beurre fondu. Incorporez les blancs aux jaunes en soulevant la préparation, puis la farine et le cacao très délicatement, et enfin le beurre fondu.

Versez cette préparation sur une plaque revêtue de papier siliconé, sur une épaisseur de 1 cm ; lissez-la ; faites-la cuire au four, à 230 °C, 8 à 10 min : le biscuit doit être à peine cuit. À sa sortie du four, laissez-le refroidir ; retirez le papier siliconé et posez le biscuit sur un papier propre ; imbibez-le, côté cuisson, de sirop, puis faites chauffer la framboise-pépins et étalez-la sur le biscuit afin qu'il l'absorbe. Mélangez, en les travaillant le moins possible, la ganache au beurre mou. Laissez refroidir 10 min avant d'étaler la ganache sur la framboise-pépins et de rouler le biscuit sur lui-même, en partant du petit côté du rectangle et en serrant pour maintenir le rouleau bien rond et laisser en dessous l'autre extrémité du biscuit. Enrobez la bûche d'habillage en chocolat noir étalé avec une spatule souple ; si vous voulez réaliser un décor classique, coupez en biseau les deux extrémités de la bûche et posez-les dessus, avant de l'habiller, pour figurer les nœuds du bois. Rayez toute la surface de la bûche, longitudinalement, avec les dents d'une fourchette, pour imiter une écorce ; rayez les nœuds en spirale.

« Décorez la bûche de feuilles de houx en pâte d'amande ou en chocolat, de boules de Noël ou de divers sujets de votre choix. Mettez-la dans un plat long avant de la réserver au réfrigérateur. Au moment de servir, décorez-la de framboises fraîches et de "scintillants". »

Avec ce même biscuit imbibé de sirop au rhum, vous réaliserez une bûche tout chocolat en supprimant framboise-pépins et framboises fraîches.

219

COULIS DE FRAMBOISE

pour environ 1/2 litre de coulis :

• 500 g de framboises mûres et parfumées

• 100 g de sucre semoule

PRÉPAREZ ce coulis la veille : mettez les framboises et le sucre dans le bol d'un robot équipé de la lame en acier ; faites tourner l'appareil à grande vitesse, pendant 1 min au moins, pour broyer les pépins des framboises et libérer la pectine qu'ils contiennent : c'est elle qui donnera au coulis un velouté naturel exceptionnel. Filtrez le contenu du bol du mixeur au-dessus d'une jatte : mettez le coulis au réfrigérateur pour 8 heures au moins. Au bout de ce laps de temps, le coulis a délicatement figé. Tournez-le avec un fouet : si vous le trouvez trop épais, ajoutez-y un peu d'eau froide. Ce coulis se conserve 48 heures au réfrigérateur. Vous pouvez aussi le congeler. Ses usages sont multiples et variés...

Vous préparerez de la même manière un coulis de fraise avec seulement 80 g de sucre pour 500 g de fruits. Il faudra toutefois y ajouter 1 à 2 cuillerées à soupe de jus de citron, qui mettra en valeur la saveur et le parfum des fruits.

FRAMBOISE-PÉPINS

pour 1,5 kg de confiture :

- 1 kg de framboises mûres et parfumées
- 650 g de sucre semoule
- 3 cuillerées à soupe de jus de citron

METTEZ les framboises dans le bol d'un robot équipé de la lame en Inox ; faites tourner l'appareil à grande vitesse, pendant 5 min, pour broyer les pépins des framboises et libérer la pectine qu'ils contiennent et qui donnera à la confiture une consistance naturellement idéale. Ajoutez le sucre et continuez de mixer 30 secondes. Versez la purée de framboise dans une casserole Inox à fond épais. Portez à ébullition, puis laissez bouillir 3 min ; retirez du feu et ajoutez le jus de citron. Versez cette confiture goûteuse et peu sucrée dans des bocaux et réservez-la au réfrigérateur, où vous la conserverez deux mois.

La framboise-pépins est idéale pour fourrer beignets (boules de Berlin, recette p. 85), biscuits et bûches, garnir des tartelettes et des entremets. Elle peut aussi être dégustée telle quelle, comme toute confiture.

DÔME DE MOUSSE
AU CHOCOLAT

pour 8 personnes :

- 1 biscuit au cacao (recette p. 219)
POUR LA MOUSSE
- 300 g de chocolat "Guanaja"
- 1/2 litre de crème liquide
- 2 œufs
- 5 jaunes d'œufs

- 140 g de sucre semoule
POUR LE SIROP :
- 1 dl d'eau
- 50 g de sucre semoule
- 15 g de cacao en poudre

PRÉPAREZ d'abord le biscuit selon la recette décrite à "Bûche au chocolat aux framboises" (page 219). Découpez dans le biscuit refroidi deux disques, l'un de 18 cm, l'autre de 14 cm. Préparez ensuite le sirop qui servira à imbiber le biscuit : dans une casserole, mélangez sucre et cacao ; ajoutez l'eau ; portez à ébullition en tournant avec un fouet ; retirez du feu.

Préparez enfin la mousse : cassez le chocolat en morceaux ; faites-le fondre au bain-marie ou au micro-ondes ; laissez-le refroidir à 45 °C ; mettez le sucre dans une casserole avec 3 cuillerées à soupe d'eau ; laissez bouillir 3 min environ, jusqu'à ce que la surface du sirop se couvre de grosses bulles (125 °C) ; retirez du feu. Mettez les œufs entiers et les jaunes dans une terrine et fouettez-les tout en versant le sirop chaud, en mince filet ; continuez de fouetter jusqu'à ce que le mélange blanchisse, triple de volume et refroidisse.

Fouettez la crème, ajoutez-en un quart dans le chocolat, puis les 3/4 restants, et enfin le mélange œufs-sirop, en soulevant la préparation avec un fouet. Calez un moule en demi-sphère de 20 cm de diamètre sur un cercle de 12 à 14 cm ; versez-y la moitié de la mousse ; mouillez de sirop le plus petit disque de biscuit et posez-le sur la mousse ; versez le reste de mousse ; couvrez du second disque de biscuit imbibé ; entourez d'un film ; mettez le moule au réfrigérateur, toujours calé sur le cercle, et laissez reposer 12 à 24 heures. Au moment de servir, plongez le moule 10 secondes dans de l'eau tiède et renversez-le sur un plat. Démoulez la mousse. Décorez le dôme de copeaux de chocolat. Pour réaliser des copeaux, vous avez plusieurs solutions : racler la partie lisse d'une plaque de chocolat à l'aide d'un emporte-pièce rond de 5 cm : vous obtiendrez des copeaux en forme de coquillage ; ou utiliser un couteau "économe" qui vous donnera de fins copeaux cassants et très froissés. Vous pouvez enfin étaler le chocolat fondu sur une plaque froide et, à l'aide d'un couteau à enduire, détacher des bandes de 4 cm de large : en tenant le couteau d'une main, placez l'index de l'autre main sur le bout de la lame pour faire froisser les copeaux et obtenir des éventails (photo page ci-contre).

Vous pouvez napper le dôme de mousse d'habillage en chocolat (recette p. 232) et incorporer à la mousse des noisettes caramélisées (recette p. 213) grossièrement concassées.

222

CORAIL

pour 8 personnes :

POUR LE BISCUIT :
- 120 g de sucre semoule
- 1 zeste de citron très finement haché
- 4 œufs
- 1 1/2 cuillerée à soupe de lait frais entier
- 125 g de farine tamisée
- 4 g de levure chimique
- 1 cuillerée à café de jus de citron
- 100 g de beurre fondu tiède
- 7,5 cl d'huile d'olive vierge extra

POUR LE MOULE :
- 20 g de beurre
- 1 cuillerée à soupe de farine

POUR FOURRER LE BISCUIT :
- 800 g de mousse à la framboise (recette p. 131)

POUR LA GARNITURE :
- 150 g de framboises ou de mûres ou moitié framboises, moitié mûres

POUR LE DÉCOR :
- 150 g de chocolat blanc
- 15 g d'huile d'olive

« Pierre Hermé ajoute une pincée de pulpe de framboise lyophilisée au chocolat blanc pour lui donner une couleur rose pastel. Cet ingrédient étant réservé aux professionnels, ajoutez quelques gouttes de carmin au chocolat, ou laissez-lui sa tendre couleur ivoire. Pour une belle présentation, piquez des framboises, des mûres, ou des fraises autour de la fleur, et entourez l'entremets d'une bande de biscuit à la cuillère (recette p. 111) ou d'un ruban rose. »

Avec cette pâte à biscuit à l'huile d'olive, vous pouvez réaliser un gros ou des petits gâteaux moelleux et fruités, que vous servirez tièdes ou à température ambiante : versez la moitié de la pâte dans le ou les moules ; piquez-la de framboises ; coulez le reste de pâte dessus et faites cuire au four à 170 °C, 30 à 35 min.

PRÉPAREZ le biscuit : dans une terrine, mélangez le zeste et le sucre, en fouettant 30 secondes, afin que le parfum du zeste imprègne bien le sucre ; ajoutez les œufs ; fouettez 5 min pour faire blanchir le mélange, puis versez le lait, incorporez la farine et la levure, ajoutez le jus de citron, le beurre fondu et enfin l'huile d'olive, en tournant avec une spatule et en attendant que chaque ingrédient soit incorporé avant d'ajouter le suivant.

Beurrez et farinez un moule à manqué de 22 cm ; versez-y la pâte ; faites cuire au four à 170 °C, pendant 40 à 45 min. À sa sortie du four, démoulez le biscuit et laissez-le refroidir sur une grille, puis coupez-le en deux disques de 1,5 cm d'épaisseur dont vous ne garderez que la mie. Placez un disque de biscuit dans un cercle de 22 cm doublé d'une bande de Rhodoïd, posé sur une plaque revêtue de papier siliconé.

Versez la moitié de la mousse à la framboise dans le cercle ; piquez-la de framboises, ou de mûres ou d'un mélange des deux, et couvrez celles-ci du reste de la mousse ; lissez avec une spatule ; posez la seconde tranche de biscuit sur la mousse. Mettez l'entremets au réfrigérateur pour 8 heures au moins.

Deux ou trois heures avant de servir le corail, ôtez le cercle dans lequel vous l'avez dressé. Faites fondre le chocolat au bain-marie à 45 °C. Hors du feu, ajoutez-y l'huile d'olive, en mince filet, en tournant avec une spatule. Étalez ce mélange sur un marbre, le plus finement possible, à l'aide d'une spatule. Lorsque le chocolat est ferme, raclez-le, à l'aide d'une palette à enduire, en tenant la palette d'une main et en plaçant l'index de l'autre main à l'angle opposé de la palette, pour faire plisser le chocolat. Placez cette fine dentelle de chocolat au centre de l'entremets de manière à former une sorte de fleur ressemblant à une pivoine épanouie... Si le chocolat ne plisse pas facilement, ajoutez-y un peu d'huile.

LA CERISE SUR LE GÂTEAU

pour 10 personnes :

POUR LA DACQUOISE AUX NOISETTES :
- 105 g de poudre de noisette
- 115 g de sucre glace
- 115 g de blancs d'œufs
- 35 g de sucre semoule
- 60 g de noisettes du Piémont décortiquées

POUR LE PRALINÉ FEUILLETÉ :
- 200 g de praliné noisette en pâte
- 50 g de chocolat au lait "Jivara" ou "lacté"
- 100 g de "Gavottes" (crêpes dentelles)
- 20 g de beurre

POUR LA GANACHE :
- 2,3 dl de crème liquide
- 250 g de chocolat au lait "Jivara" ou "lacté"

POUR LA CHANTILLY AU CHOCOLAT AU LAIT :
- 3 dl de crème liquide
- 210 g de chocolat au lait "Jivara" ou "lacté"

POUR LES FEUILLES DE CHOCOLAT AU LAIT :
- 180 g de chocolat au lait "Jivara" ou "lacté"

POUR LE DÉCOR :
- 100 g de noisettes caramélisées (recette p. 213)
- 1 cerise

AVANT de devenir le gâteau appelé aujourd'hui "La cerise sur le gâteau", en forme d'immense part de gâteau enrobé de chocolat au lait surmonté d'une cerise, dont la tranche est soulignée de six filets d'or tracés au pinceau rappelant qu'il convient pour six personnes, ce gâteau s'appelait "velours" et convenait pour huit. Il était réalisé selon la recette qui suit, plus facile à préparer chez soi...

Pour confectionner une cerise sur le gâteau, il faut six parts de velours que l'on empile dans un moule préalablement chemisé de chocolat au lait "Jivara", les deux parts restantes servant à la confection du gâteau suivant ou étant découpées pour être servies comme friandises avec le café... mais un velours qui ne comporterait pas le deuxième disque de dacquoise, soit simplement garni d'une couche de praliné feuilleté puis d'une couche de chocolat, puis d'une couche de ganache, d'une deuxième couche de feuilles de chocolat, d'une seconde couche de ganache, d'une troisième couche de feuilles de chocolat et d'une couche de chantilly.

La confection du velours doit commencer la veille, avec la préparation de la chantilly au chocolat au lait qui doit reposer 12 heures au froid, mais elle peut être entreprise l'avant-veille, ce gâteau, comme beaucoup de gâteaux au chocolat, étant meilleur un peu rassis. Hachez le chocolat ; faites bouillir la crème dans une casserole ; hors du feu, ajoutez-y le chocolat, en deux ou trois fois en fouettant vigoureusement pour lisser la préparation, versez-la dans une terrine ; réservez-la au réfrigérateur 12 heures : elle doit être maintenue à une température très basse – entre 2 et 4 °C – car, au moment de la "foisonner" – en la fouettant vivement –, elle ne

227

Ce gâteau m'a été inspiré par le goût, le parfum et la texture de l'excellent chocolat au lait de Valrhona, une création récente – un an à peine – baptisée "Jivara". Jusqu'alors je n'utilisais que du chocolat noir et il ne m'avait pas été permis de réaliser le rêve, caressé depuis l'enfance, d'un gâteau où toutes les textures, de la plus moelleuse à la plus croustillante, se trouveraient réunies sous le palais.

risquera pas de se décomposer. Notez qu'il suffira d'environ 1 min pour obtenir une texture parfaite, ni trop souple ni trop ferme. Préparez la dacquoise la veille ou le jour même, selon la méthode décrite pour la dacquoise (recette p. 175), mais en remplaçant la poudre d'amande par de la poudre de noisette : versez la pâte dans deux cercles de 25 cm, sur une épaisseur de 1 cm, et, avant de la faire cuire, parsemez-la de noisettes préalablement grillées et concassées.

Laissez-la refroidir sur une grille.

Préparez ensuite les feuilles de chocolat : faites fondre le chocolat au lait au bain-marie, à 50 °C ; tempérez-le (voir méthode p. 208) ; étalez-le, à l'aide d'une spatule, sur trois feuilles de Rhodoïd placées sur une plaque. Dès que le chocolat fige, découpez-le, à l'aide de la pointe d'un couteau, en 3 disques de 24 cm ; couvrez-les d'une feuille de papier siliconé et réservez-les au réfrigérateur. Préparez ensuite la ganache au chocolat au lait : hachez le chocolat ; faites bouillir la crème ; hors du feu, ajoutez-y le chocolat en trois ou quatre fois, en tournant avec une spatule pour lisser le mélange ; versez la ganache dans une terrine et réservez-la au réfrigérateur. Préparez ensuite le praliné feuilleté : faites fondre le beurre à feu doux, dans une petite casserole, sans le laisser se décomposer, puis laissez-le refroidir. Émiettez finement les crêpes dentelles en les écrasant au rouleau à pâtisserie. Dans une casserole, faites fondre le chocolat entre 35 et 40 °C au bain-marie. Mettez le praliné dans une terrine ; ajoutez-y le chocolat fondu, lentement, en tournant délicatement le mélange avec une spatule ; incorporez les brisures de crêpes dentelles, toujours délicatement, puis le beurre fondu, sans cesser de tourner.

Posez le premier disque de dacquoise sur une plaque revêtue de papier siliconé ; couvrez-le de praliné noisette feuilleté, en l'égalisant avec une spatule ; couvrez d'un disque de chocolat ; mettez la plaque au réfrigérateur, pour faire durcir le praliné, 30 min, ou plus. Au bout de ce laps de temps, couvrez le disque de chocolat de la moitié de la ganache ; recouvrez la ganache de la moitié des feuilles restantes puis de la seconde moitié de la ganache et enfin du disque restant.

Retirez la chantilly du réfrigérateur : "foisonnez-la" en la fouettant vivement avec un batteur électrique, afin d'y incorporer un maximum d'air et étalez-en les trois quarts sur la dernière couche de feuille de chocolat. Posez le second disque de dacquoise sur le tout. Couvrez le gâteau de chantilly restante en lissant avec une spatule. Mettez le gâteau au réfrigérateur pour au moins 6 heures. Décorez le velours le plus tard possible avant de le servir : entourez-le de noisettes caramélisées grossièrement concassées et posez une cerise au centre.

GANACHE GUANAJA
pour 320 g de ganache :

• 160 g de chocolat "Guanaja"   • 150 g de beurre mou
• 1,1 dl de lait

HACHEZ le chocolat au couteau ou râpez-le grossièrement dans un robot ; travaillez le beurre avec une fourchette pour lui donner la consistance d'une pommade.
Faites bouillir le lait dans une grande casserole ; retirez-le du feu ; ajoutez-y le chocolat, en trois ou quatre fois, en tournant sans cesse avec une spatule pour rendre le mélange homogène et lisse. Attendez que le mélange descende à une température de moins de 60 °C pour y incorporer le beurre, en tournant la préparation juste ce qu'il faut pour qu'elle soit homogène, mais pas plus, pour préserver le goût subtil et suave, la texture moelleuse, onctueuse et particulièrement fondante de cette ganache et son aspect brillant. Si vous la travailliez plus longtemps, elle perdrait ces qualités. Utilisez-la pour fourrer toutes sortes de gâteaux et préparer des entremets. Si elle refroidissait et devenait trop compacte, faites-la légèrement fondre au bain-marie ou au micro-ondes, en la tournant le moins possible pour éviter de la faire blanchir.

Les pâtissiers appellent ganache du chocolat fondu avec autant de crème fraîche, servant à fourrer ou à habiller gâteaux et entremets. On peut ajouter à la ganache du beurre et des parfums. En ce qui me concerne, je prépare différentes sortes de ganaches, selon l'usage que je veux en faire, en remplaçant parfois la crème par du lait, en quantités très variables, et en ajoutant plus ou moins de beurre. Il m'arrive souvent de mélanger une ganache à une crème pâtissière ou à une crème au beurre pour confectionner une crème au chocolat dont je garnis gâteaux et entremets.

229

GLAÇAGE
AU CHOCOLAT
pour 300 g de glaçage :

- 100 g de chocolat "Guanaja"
- 80 g de crème liquide
- 20 g de beurre
- 100 g de sauce chocolat (recette p. 231)

RÂPEZ le chocolat ; faites bouillir la crème dans une casserole, retirez du feu, ajoutez-y le chocolat, en plusieurs fois, en tournant lentement avec une spatule et en partant du centre vers l'extérieur, en petits cercles concentriques ; laissez tiédir le mélange jusqu'à moins de 60 °C avant d'y incorporer d'abord le beurre, puis la sauce chocolat, en tournant le moins possible, juste pour rendre le mélange homogène.

Le glaçage doit être utilisé tiède, entre 35 et 40 °C, et étalé sur les gâteaux gros ou petits (megève, recette p. 211, ou éclairs, recette p. 141), à la place de la crème au beurre, à l'aide d'une longue spatule souple.

S'il refroidit trop, réchauffez-le légèrement, sans le travailler, dans un bain-marie tiède ou au micro-ondes.

Si ce glaçage fige rapidement – tout en restant bien brillant – une fois qu'il est étalé, il coule beaucoup pendant qu'on l'étale et on en perd un peu, fatalement. Prévoyez-en donc toujours une bonne quantité.

SAUCE CHOCOLAT

pour 1/2 litre, environ, de sauce :

• 130 g de chocolat "Guanaja"
• 1/4 de litre d'eau

• 90 g de sucre semoule
• 125 g de crème épaisse

CASSEZ le chocolat en morceaux ; mettez-le dans une grande casserole avec l'eau, le sucre et la crème. Portez à ébullition sur feu doux ; laissez bouillir à feu doux, en tournant avec une spatule jusqu'à ce que la sauce nappe la spatule donc soit devenue onctueuse à souhait.

Cette sauce est, chaude ou froide, idéale pour accompagner glaces, sorbets et entremets au chocolat, au café, à la vanille, à la pistache..., le pain de Gênes et, additionnée de quelques gouttes de whisky, les crêpes à la farine de châtaigne (recette p. 68).

Je n'utilise jamais de cacao en poudre pour préparer la sauce chocolat. Je trouve qu'il lui donne un désagréable goût de poussière.

L'équipe de Pierre Hermé compte 35 personnes. À droite, onze de ses plus proches collaborateurs. Au premier rang, de gauche à droite : Colette Petremant, chef de partie "Pâtes", Sabine Lamyeiche, responsable de la boutique, Sylviane Pierrot, responsable des commandes, et Sébastien Gaudard, adjoint de Pierre Hermé. Au deuxième rang, de gauche à droite : Christophe Moreau, pâtissier au restaurant "Le 30", André Dœuvre, second de Pierre Hermé, Frédéric Gauvin, chef de partie "Décor", Robert Lecestre, chef de partie "Petits-fours frais et tartes", Laichour Boukalfa, plongeur, Didier Sarassat, chef de partie "Petits-fours secs et macarons", et Christian Tireau, chef de partie "Four".

HABILLAGE
EN CHOCOLAT NOIR
pour 310 g de ganache :

• 150 g de chocolat "noir gastronomie" de Valrhona
• 1,5 dl de crème liquide
• 10 g de cacao en poudre

HACHEZ le chocolat au couteau ou râpez-le grossièrement dans un robot ; mélangez-y le cacao. Faites bouillir la crème, retirez-la du feu, ajoutez-y le mélange chocolat-cacao, en trois fois, en tournant légèrement avec une spatule et en partant du centre vers l'extérieur, en petits cercles concentriques.

Lorsque la préparation est homogène, filtrez-la au-dessus d'une terrine et laissez-la figer à température ambiante ou dans un endroit frais.

Lorsque la ganache – c'est bien d'une ganache qu'il s'agit, voyez, p. 229, la recette de la ganache Guanaja – est figée, et sans la travailler, sous peine de la voir perdre son brillant, habillez-en gâteaux et entremets, en utilisant une spatule souple. Si toutefois la ganache était trop froide, réchauffez-la un instant dans un bain-marie tiède ou au micro-ondes, en la tournant le moins possible.

TARTE AU CHOCOLAT

pour 8 personnes :

• 250 g de pâte sucrée (recette p. 49)
POUR LE BISCUIT AU CHOCOLAT
SANS FARINE :
• 3 jaunes d'œufs
• 3 blancs d'œufs
• 120 g de sucre semoule
• 40 g de chocolat "Guanaja"

POUR LA GANACHE :
• 1,5 dl de crème liquide
• 15 g de glucose
• 135 g de chocolat "Guanaja"
finement haché
• 50 g de beurre à température
ambiante

« Décorez la tarte d'un disque de nougatine dentelle au cacao (recette p. 185) de même dimension, qui la recouvre entièrement, ou d'éclats de cette même nougatine, ou encore de copeaux de chocolat. Servez la tarte à température ambiante. »

Vous pouvez, bien sûr, confectionner une tarte sans biscuit, mais elle sera moins légère, plus banale et moins savoureuse. En saison, je remplace la moitié de la crème incorporée à la ganache par des framboises écrasées et je garnis la tarte d'éclats de nougatine au grué de cacao (recette p. 185) et de framboises entières.

ÉTALEZ la pâte sucrée sur une épaisseur de 1,5 mm ; garnissez-en un moule à tarte antiadhésif de 26 cm ; piquez-la de nombreux coups de fourchette. À l'aide d'un petit couteau, dessinez des croisillons sur la pâte afin qu'elle ne se boursoufle pas pendant la cuisson ; couvrez la pâte d'un disque de papier sulfurisé de 30 cm, frangé sur les bords ; remplissez-la de noyaux d'abricots ou de légumes secs. Faites-la cuire au four à 170 °C pendant 12 min puis retirez papier et noyaux (ou légumes) et poursuivez la cuisson de la pâte seule, 8 à 10 min, pour la faire dorer. Une fois cuite, démoulez la tarte et laissez-la refroidir sur une grille.
Préparez le biscuit au chocolat sans farine : sur une plaque revêtue de papier siliconé, posez un cercle de 24 cm.
Faites fondre le chocolat au bain-marie à 45 °C. Dans une terrine, fouettez les jaunes avec la moitié du sucre, jusqu'à ce qu'ils blanchissent. Dans un saladier, battez les blancs en neige, puis ajoutez-y le sucre restant, en continuant de les fouetter, jusqu'à ce qu'ils soient fermes. Ajoutez un tiers des blancs dans le mélange jaunes-sucre puis versez-y le chocolat, en tournant avec une spatule ; ajoutez enfin le reste des blancs, en soulevant la préparation. Coulez la pâte, en spirale, dans le cercle, à l'aide d'une poche munie d'une douille lisse de 8 cm ; faites-la cuire au four à 170 °C pendant 18 à 20 min, porte du four entrouverte : la pâte doit être plutôt sèche car elle a la propriété de se réhydrater au contact de l'air. Laissez-la refroidir sur une grille. Préparez la ganache : dans une casserole, faites bouillir la crème et le glucose ; hors du feu, ajoutez le chocolat dans la crème, en quatre fois, en tournant lentement avec la spatule en partant du centre vers l'extérieur en formant des cercles concentriques pour rendre le mélange lisse et onctueux, et ne pas incorporer de l'air ; laissez refroidir à 50 °C avant d'incorporer le beurre, en tournant de la même manière. Coulez la ganache dans une poche munie d'une douille lisse moyenne ; mettez-en une fine couche dans le fond de tarte ; posez le biscuit dessus puis remplissez de ganache.

234

SAINT-HONORÉ

pour 6 personnes :

- 300 g de pâte à choux (recette p. 135)
- 150 g de pâte feuilletée (recette p. 24) très froide
- 350 g de crème à millefeuille (recette p. 35)
- 250 g de sucre semoule
- 60 g de glucose
- 8 cl d'eau
- 250 g de chantilly nature (recette p. 124)

ABAISSEZ la pâte feuilletée à 2 mm ; découpez-y un disque de 22 cm ; posez-le sur une plaque revêtue de papier siliconé, humide. Faites glisser la pâte à choux dans une poche munie d'une douille lisse n° 9 ou 10 et dressez la pâte en couronne à 1 cm des bords, puis en appuyant sur la poche dessinez une spirale à l'intérieur, fine et légère ; poudrez la pâte feuilletée de sucre semoule.

Sur une seconde plaque revêtue de papier siliconé, dressez, avec la pâte restante, 24 petits choux de 2 cm de diamètre. Glissez les deux plaques au four.

Faites cuire à 180 °C, porte du four entrouverte dès la fin du premier tiers de la cuisson, 25 min pour la base, 18 min pour les petits choux. À l'aide d'une douille n° 5, faites des trous dans la couronne, tous les deux centimètres, et percez les petits choux. Laissez refroidir complètement base et petits choux avant de les garnir de crème à millefeuille glissée dans une poche munie d'une douille n° 7, en enfonçant la douille dans les trous et en appuyant fort pour faire pénétrer la crème ; procédez de la même manière pour les petits choux.

Dans une casserole, mettez le sucre, le glucose et l'eau. Faites cuire jusqu'à 155 °C, puis plongez le fond de la casserole dans de l'eau pour arrêter la cuisson du caramel. Plongez-y à demi les petits choux et posez-les, côté caramélisé, sur une plaque antiadhésive ; ensuite, replongez les petits choux, du côté opposé, dans le caramel, en les faisant pivoter de manière que le caramel enrobe aussi les côtés et posez-les aussitôt sur la couronne de pâte à choux, serrés les uns contre les autres, laissez refroidir. Remplissez le centre du gâteau de crème à millefeuille restante puis de chantilly dressée en zig-zag avec une grosse douille cannelée et servez le saint-honoré le plus rapidement possible après sa confection.

Ce saint-honoré n'est pas traditionnel, dans la mesure où je le garnis d'une crème à millefeuille, alors que, généralement, on utilise une crème "chiboust" pâtissière dans laquelle on incorpore, alors qu'elle est encore chaude, des blancs d'œufs montés avec du sucre.

INDEX

239

LA PHOTOGRAVURE ET L'IMPRESSION DE CET OUVRAGE
ONT ÉTÉ RÉALISÉES PAR AMILCARE PIZZI À MILAN
SUR UN PAPIER IDÉAL MAT IVOIRE 175 G DE ARJO-WIGGINS.

DÉPÔT LÉGAL OCTOBRE 1994.

N° DE SÉRIE ÉDITEUR : 18215

IMPRIMÉ EN ITALIE (PRINTED IN ITALY) 507011, OCTOBRE 1994.